虹のかけ橋

タカ神父のワールドレポート

〜タカ神父世界を歩く〜

山口道孝

かまくら春秋社

ロシア
樺太
ハルピン
ウラジオストク
中国
北朝鮮
新村
青島
日本（沖縄）
東村
慶良間諸島
ミャンマー
ピンウールィン
ヤンゴン
恒春
牡丹
猫鼻頭
台湾
カンボジア
バンコク
パイリン
ダラット
イサベラ州
マニラ
フィリピン
アメリカ
ハワイ
ベトナム
タイ
コロール州
アンガウル島
パラオ
カリマンタン島
PACIFIC OCEAN
ンガポール
インドネシア
パプアニューギニア
ブーゲンビル島
東ティモール
スマラン
ラウテム県
バリ島
スンバワ島
ダーウィン
オーストラリア
カウラ
ロトルア
ニュージーランド

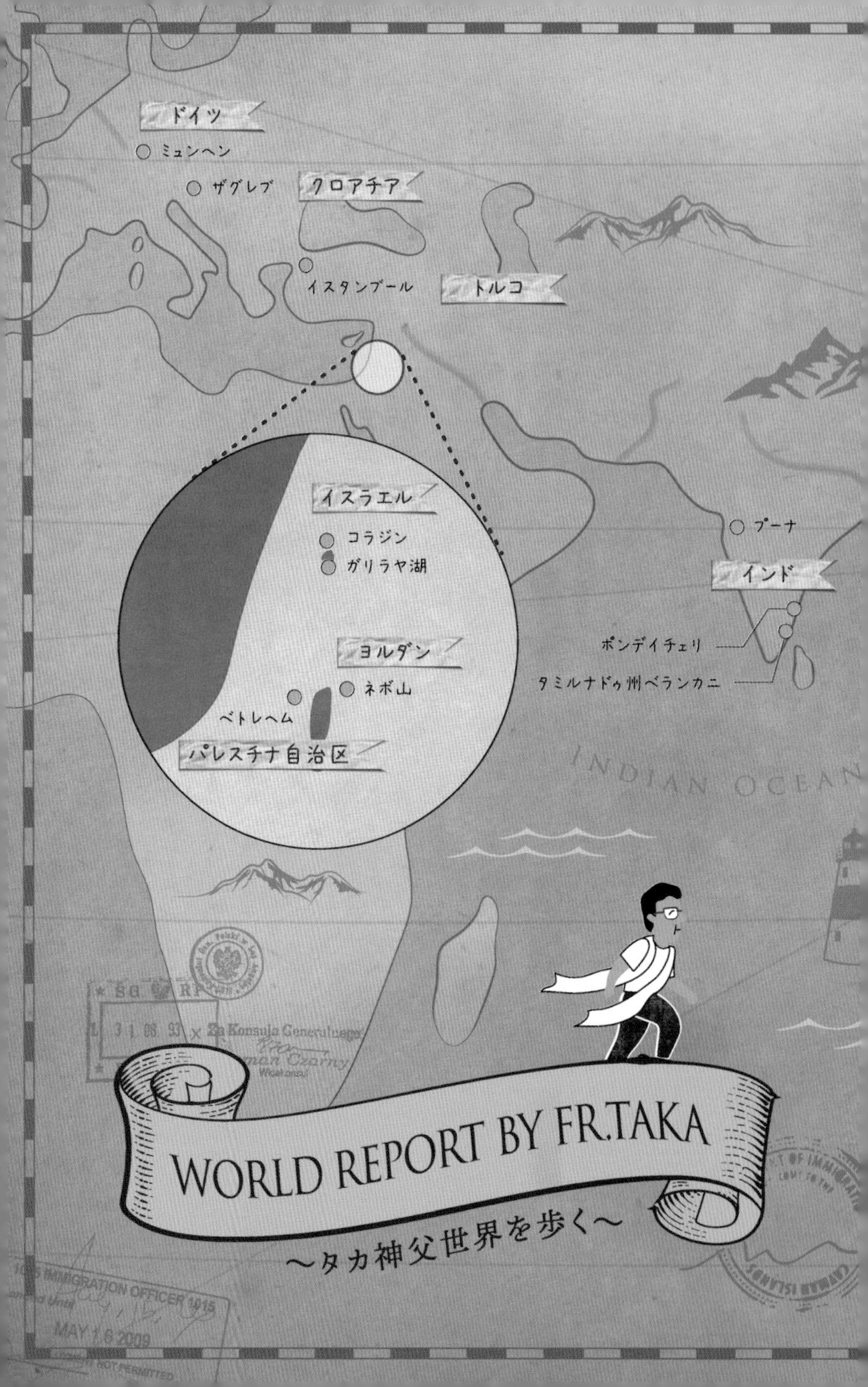
ドイツ
ミュンヘン
ザグレブ
クロアチア
イスタンブール
トルコ
イスラエル
コラジン
ガリラヤ湖
ヨルダン
ネボ山
ベトレヘム
パレスチナ自治区
プーナ
インド
ポンディチェリ
タミルナドゥ州ベランカニ
INDIAN OCEAN
WORLD REPORT BY FR.TAKA
～タカ神父世界を歩く～

タイのサケオ難民キャンプに収容されたカンボジアの子どもたちと
中央著者　1980年撮影（タイ王国）

マニラの夕日（フィリピン共和国）

西カリマンタン州のドロドロの道でオートバイを止めて小休止
（インドネシア共和国）

プーナの路上で暮らすイ
ーマルセクターの母子（

宿の部屋からバンコク「暁の寺」ワット・アルンを望む（タイ王国）

ミリアムからダーリーリバーの水を受けて
（オーストラリア連邦）

ベマセ界隈の漁村で出会った少女たちと（東ティモール民主共和国）

世界遺産「ロックアイランド」の中のひととき（パラオ共和国）

ブーゲンビル島の道で出会った子どもたち
（パプアニューギニア独立国）

ドンプの仲間たち　後列右端著者
（インドネシア共和国）

ミュンヘンの中心街カウフィンガー通り
（ドイツ連邦共和国）

ベトレヘム聖誕教会内部（パレスチナ）

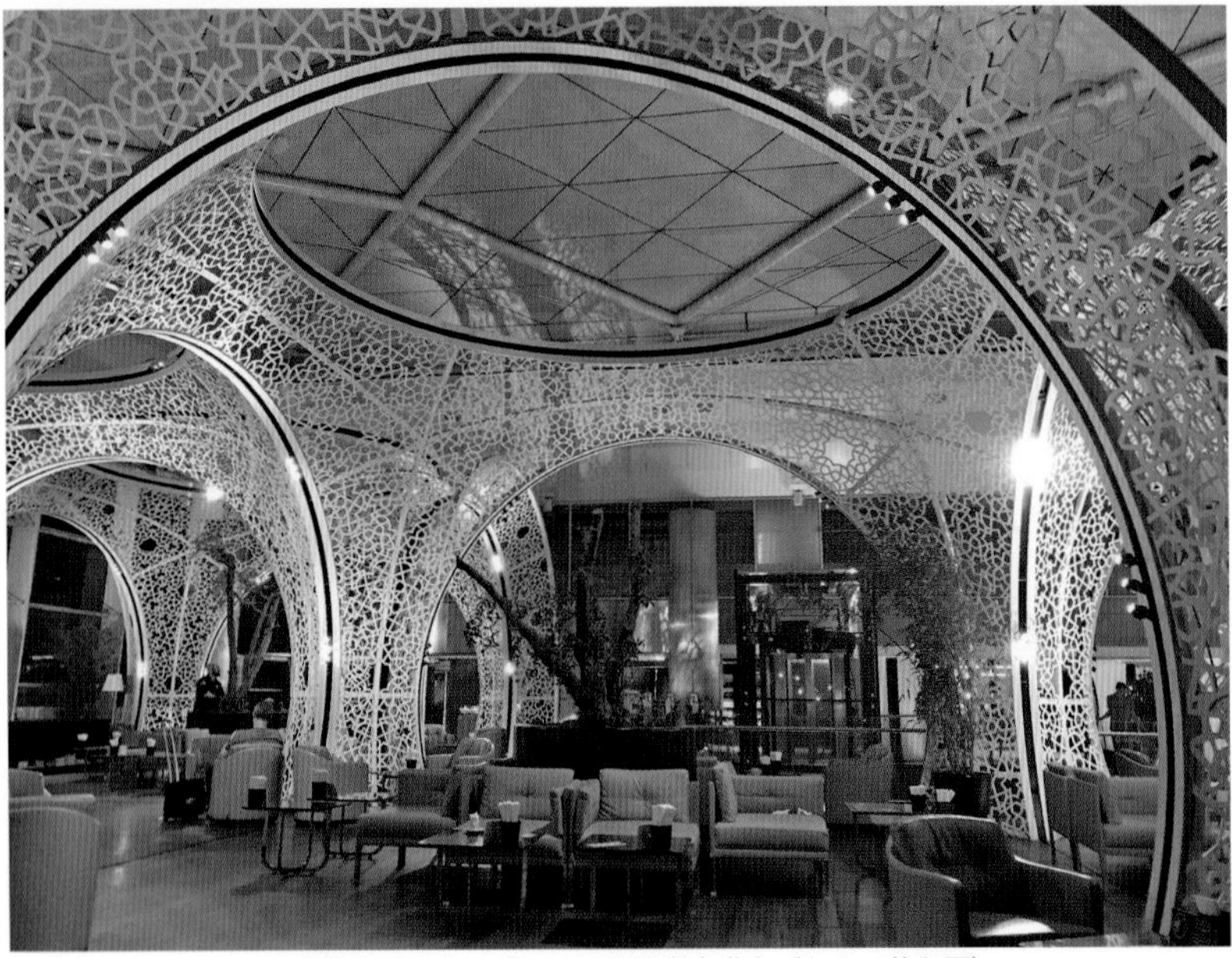

アジアとヨーロッパの交差点イスタンブールの新国際空港内（トルコ共和国）

虹のかけ橋

タカ神父のワールドレポート

目次

装丁イラスト　片岡和志
装丁　中村聡

フィリピン共和国（マニラ）Republic of the Philippines

マニラで出会ったユスト高山右近

三十年前、マルコス独裁政権の下、国軍と共産ゲリラが衝突し、混乱するフィリピンで、私は農村開発の仕事をしていた。小作人が激しく弾圧を受け、そうした弱者の側に立って命を張るカトリックの司祭（神父）や修道女の姿を、私は目の当たりにし、衝撃を受けた。銃を取ってゲリラに加わる神父や逮捕され、闇に消えていった教会リーダーも少なくない。「神父になれば、もっとひとびとの役に立てるかもしれない」、私は、勝手にそう思い込み、今に至っている。

　太平洋戦争末期の激戦地、ルソン島北部のイサベラ州が、私の仕事の場だった。しかし、物資調達のため、月に数回、部屋を借りていた首都マニラのパコ地区に出てきていた。パコは、十七世紀「デラオ」と呼ばれ、日本人町があったところである。買い物の帰り、よく回り道をして、近くに侍姿で佇むキリシタン大名ユスト高山右近の像に挨拶に行った。右近は、フランシスコ・ザビエルが中国の上川島で病死した一五五二年、豊能郡《とよのぐん》高山（大阪府）で生まれている。一五六三年、父の高山飛騨守友照が、ポルトガル人のヴィレラ神父に出会い、受洗したことがきっかけとなって、翌年、右近以下一族と家臣たちも洗礼を受けている。洗礼名はユスト、ポルトガル語で「正義の人」である。

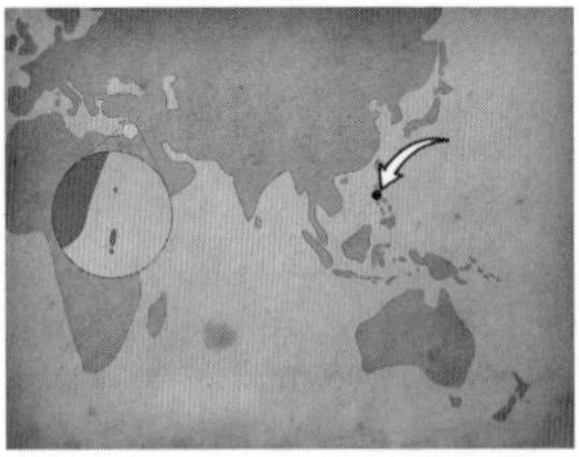

　後に、織田信長に仕え高槻にいた右近は、危機に

陥ることになる。妹と長男を人質に取られていた荒木村重が、信長に謀反を起こし、信長は、高槻を明け渡さなければ教会と神父たちを迫害すると迫り、右近は必死に祈ったと伝えられている。「自分は、信長殿に仕えるために行くのではなく、死ぬか神父たちと共に追放されるために行く」とモレホン神父に言い残し、刀を捨てて信長の前に現れる。こうした試練を乗り越えた後、右近は秀吉に仕えることになるが、キリシタン人口が二十万人に達し、脅威と感じた秀吉は、一五八七年、「伴天連追放令」を発し、右近にも棄教を命じる。これを拒否した右近は、所領を失い、金沢の前田家で二十六年間におよぶ隠遁生活に入るのである。

　一六一四年、徳川家康の禁教令でキリシタンの多くが、マカオとマニラに追放される決定が下る。後に鎌倉で捕えられ、品川で処刑されたガルベス神父も、この時一旦マニラに追放されている。右近も、妻や娘、孫たちやモレホン神父と共に、十一月八日、長崎を出航、三十三日間の長旅の末、礼砲の轟くマニラ港で、総督や大司教に迎えられる。

マニラ・パコ地区に雄々しく建つ高山右近像

　しかし、疲弊した右近は、僅か四十日後の二月五日、享年六十三歳で天に召されてしまう。

　今年の一月二十二日、フランシスコ教皇は、右近を正式に殉教者と認め、聖人の前段階である福者とした。死を恐れず戦う武将から、自己と地位の全てを他者に捧げる、当時あり得ない生き方を選択した右近。あらゆる手で棄教を迫った権力者に一度も屈せず、自分らしく生き続けた右近の姿は、今の日本人にひとつの道を示しているのではないだろうか。

高山右近が滞在したイントラムロス（マニラ旧市街）界隈を望む

2016年4月号掲載

台湾（猫鼻頭）　Taiwan

台湾最南端で捧げた祈り

「南無阿弥陀仏、南無阿弥陀仏、……」、神職による〝修祓《しゅばつ》〟、〝遷霊《せんれい》〟、〝献饌《けんせん》〟に続いて臨済宗、浄土宗、時宗の僧侶による念仏が、響き渡った。ここは台湾最南端、鵝鑾鼻《ガランビ》岬と猫鼻頭《ミャオビタオ》岬に挟まれた墾丁《こんてい》の南湾、その向こうは、フィリピンのルソン島へと続く波高しバシー海峡である。

　一九四四年、一〇月、米軍のフィリピン、レイテ島上陸を阻止しようと、日本海軍は、レイテ沖海戦にのぞむ。しかし、瑞鶴以下四隻の空母、戦艦武蔵などを撃沈され、制海権を完全に失ってしまう。それでもフィリピンを死守するため充分な護衛艦のないまま、日本軍は将兵を満載にした輸送船を台湾の高雄から送り続けることになる。一九四四年一年間だけでも一〇〇隻を超える輸送船が出航し、そのほとんどがバシー海峡に待機する米潜水艦の餌食となってしまう。戦うことなく二五万人とも三〇万人ともいわれる将兵が、命を落としたのである。

　一二日間、不飲不食で漂流し奇跡的に救助された故中嶋秀次氏の回想に、こうあった。「潮流の関係で三万を超える遺体が、漂着した『猫鼻頭』に幾度となく行った。蒼い海に向かって、遺族と共に息子や兄、弟の名を叫んで泣いた」。「バシーの海の見える処に歌碑を立てたい、それが戦友の墓になる」。この思いが、一九八一年、猫鼻頭に「潮音寺」を建立させることになる。

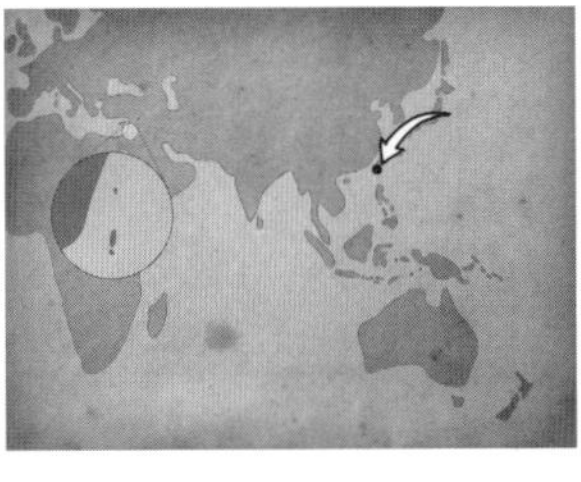

数年前、八四歳になる台湾生まれの知人から、私は潮音寺のことを聞いた。そして昨年、その知人の厚意で、潮音寺訪問に同行する幸運を得た。それがきっかけとなって二〇一六年の三月末、神職四名、僧侶四名、牧師一名、神父一名以下総勢一五名で、台湾へ飛ぶことになった。

　潮音寺を皮切りに、南湾の海上で、また、墾丁の海岸に打ち上げられた約三〇〇の遺体を茶毘にふした高雄に近い東港の旧日本海軍火葬場、現在の霊聖堂で、私たちは誠心誠意救霊の祈りを捧げた。八三歳の鐘節美《しょうせつび》さんが、船の上で私に囁いた。「この南湾でもたくさん船が、やられました。海に飛び込んだ兵隊さん目がけて、アメリカの飛行機が徹底的に機銃掃射するんです」。また、一時間以上に及ぶ救霊の祈りを他の神職と共に捧げてくださった宮司さんが、呟かれた。「苦しんでいるかたは、まだたくさんおられます。でも、浜に立つ将校みたいなひとが、敬礼しながらたくさんの兵隊を海から浜へ上げている姿が見えました」。キリスト教の牧師も、祈りをこう結んだ。

船上からバシー海峡に向かって祈る神職

「海に散ったあまたの魂に思いを寄せています。私たちには計り知れない、悶え嘆き、苦しみ、悲しみ、悔しさを御手に抱き留めてください。一人一人の魂を、永遠の安らぎへと導いて下さい。……また、私たちが二度と同じ過ちを犯さないようにお導きください」。

　こうして三宗教合同の「バシー海峡戦没者慰霊祭」は、参加者の心に余韻を残しながら幕を下ろした。ここで絶えず祈ってくださっている台湾の友人に、心からの感謝の気持ちを残して。

台湾最南端墾丁

2016年5月号掲載

ミャンマー連邦共和国（ピンウールィン）
Republic of the Union of Myanmar

普通の国になりはじめたミャンマーで思う

「どれだけの水を、掛けられるのだろう」。ミャンマー南部カレン州の州都パアンを出て集落を通る度に、ホースやバケツで水の攻撃を受ける。窓をしっかりと閉めている私たちの車はともかく、荷台に乗っているひとたちやオートバイのカップルなどは、何十回と水を掛けられ、ずぶ濡れを通り越して水漬けといった状態である。ティンジャン（水掛け祭り）の真最中、あと三日でミャンマー暦の新年を迎える二〇一六年四月のことである。

南下を続け、キャインセージという街に着いた。一九六〇年代から政府軍とカレン族が衝突を繰り返し、数十年間「外国人立入禁止区域」だったところである。今回、軍の検問も一切なく、ここまでこられたのが、夢のようだ。総選挙で圧勝したアウンサン・スーチー氏率いる国民民主連盟が新政権を発足させた四月一日から、僅か一週間、既に変化が出てきているのだろうか。

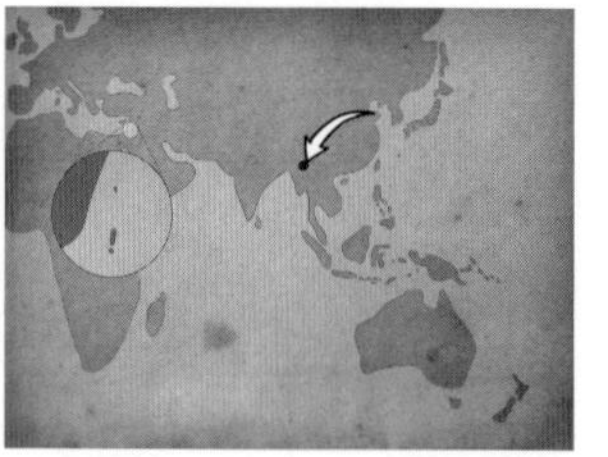

今回、私は先ず古都マンダレーから山道を上がったピンウールィンの修道院を訪ねた。一九九〇年、ミャンマーで設立された聖パウロ宣教女会を、私は支援している。「修道服の首の周りに、赤い線を縫い付けています。斬首された聖パウロを見倣い、私たちもいつでも命を捧げるという証です」。友人のシスタールフィナが、そう話していた。この会は究極の貧困地帯や戦闘地域に敢えてシスターを派遣している。それでも入会希望者は、後

を絶たない。四月二十日にも四人の修練者が、初誓願を立て、シスターになった。設立から僅か二十六年で、百人目のシスターが誕生したことになる。

　前年、トヨタライトエースの荷台にシスタールフィナと座りながら、私は初めてこの山道を上った。轟音をあげる大型トラックやトレーラーを何台も追い越している最中、私は尋ねた。「このトラックは、どこまでいくの」。「シャン州のラーショーを通って、中国まで」。国境まで、まだ四六〇キロはある。その時、私は閃いた。「ビルマルート」。対日徹底抗戦を決意した蔣介石の運命を決めた「援蔣ルート」が、これだったのだと。米英は、この山道を使って毎月数千トンの物資や武器をインドから中国に送り込んだ。これを阻止しようと日本軍が侵攻し、泥沼化したビルマ戦線の死闘で、日本兵だけでも約十九万人が命を落としたのである。

ラーショーへとつづく

　この峠を上っていると、木陰で休む日本兵の姿を何度か見たような気がした。「どれだけの兵隊さんが、荷台に揺られてここを上がっていったのだろう」。そんなことを考えながら、その晩、私は、シスターたちに頼んだ。「日本兵のために、時々祈ってほしい」と。「勿論。毎日祈ります。その代わり、私たちのためにも祈ってください。ミャンマーが平和になるように」、ひとりのシスターが、そう返してきた。

　あれから一年、この峠を再び、下りながら、素朴なシスターたちの姿と日本兵の姿が重なり合い、私はまた、この山道で手を合わせた。緊張感が解け、明らかに変化の見えはじめたミャンマーで、「祈りは届くものだ」と実感しながら。

極限の貧困地域へと派遣されていく若いシスターたち

2016年6月号掲載

パプアニューギニア独立国（ブーゲンビル島）
Independent State of Papua New Guinea

墓島と呼ばれた島、ブーゲンビルから平和を

「キーキーキー、ホォウ、ホォウ、ホォウ……」。鳥なのか、獣なのか皆目見当もつかない何かの鳴き声が聞こえては消える。パプアニューギニアのブーゲンビル島最南端ブイン近郊の密林である。ランドクルーザーで約二〇回川を渡り、辿り着いた小さな集落で彼らの土地に入る許可を得ると同時に、道案内を頼んでいるようだ。子どもを含め二五〜六人が集まってきて、銃を持った二人を先頭に、私たちはジャングルに入った。生い茂る草木を切り倒しながら、道とは呼べない道を進む。私の前を歩く裸足の男の子二人の足取りは軽い。しかし、私たちの靴は泥にまみれ、滑り転げないよう集中して歩く。途中四回、靴のまま川を渡り二

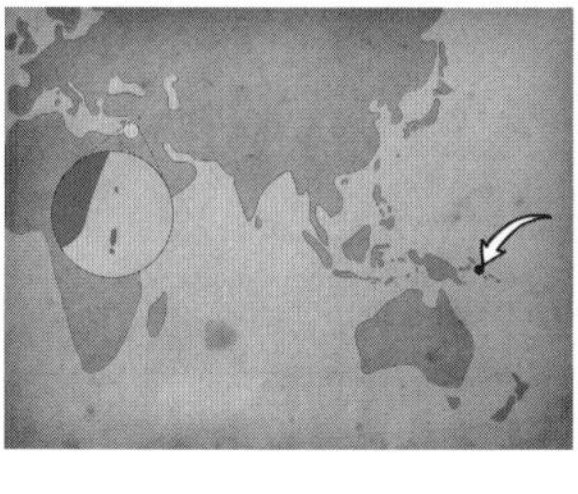

時間、やっと目的地に着いた。

ニューギニア島の東北部とそこに隣接する島々は、嘗てドイツ領だった。しかし、その後、オーストラリアの委任統治領となる。赤道以北の旧ドイツ領南洋群島が、日本の委任統治領になった時のことである。太平洋戦争が勃発すると、日本軍は米豪遮断作戦の一貫として英領ソロモン諸島のガダルカナル島周辺を攻撃、日本軍の拠点ラバウルからガダルカナル島へ向かう中間点にあったブーゲンビル島は重要視される。北端のブカ島と南端のブイン島に飛行場が建設され、陸軍四万と海軍二万、海軍航空隊のゼロ戦七〇機が配備される。

一九八八年、ブーゲンビルは、革命軍（ＢＲＡ）

と政府軍の衝突により一〇年間の内戦状態に陥り、一九九八年、豪軍とニュージーランド軍が介入し現在停戦状態にある。この状況の下、独立を目指す自治政府のジョン・モミス大統領は、オーストラリアとの距離をおきながら、日本との関係強化に期待を寄せている。人口のほとんどがカトリック信徒であることもあって、大統領の秘書をしている友人のフィリピン人ポールから、私のところに視察依頼が入り、訪問することになった。

一九四三年四月一八日午前六時、前線基地訪問のため連合艦隊司令長官山本五十六らは、ブイン、ソロモンへ向けゼロ戦六機と共に、一式陸攻二機に分乗しラバウルを発進。しかし、暗号は解読され、米軍のP-38ライトニング一六機が待ち伏せし、山本一号機は撃墜されてしまう。この山本機の残骸が、今もジャングルに放置されているのである。モミス大統領は、この歴史的遺物を活用して、日本人と共にこの島から平和のメッセージを発信したい考えである。

道で出会った子どもたち

ブーゲンビル島は、〝墓島〟と呼ばれ、戦いは終戦まで続く。ニューギニア並びにソロモン周辺での日本兵の戦死者は、約一五万、その半数が戦病死と餓死である。「こんなところで、戦争させられて」、泥道を歩きながら、何回となく私は思った。「日本軍に協力した住民と豪軍に協力した住民の対立が、今も続いているんです」、現地の友人に耳打ちされた。勝手に来て戦って、ほったらかしのまま帰っていった日米豪。「二度と過ちは繰り返しませんと誓うだけでは、決して済まされない」と、私は、このジャングルの中で痛感した。

一式陸攻１号機の前で祈った私たち

2016年9月号掲載

パレスチナ（ベトレヘム）　Palestine

ネアンデルタール人とホモサピエンスが共存した大地で祈る

「イスラエル、大丈夫でしたか」。聖地巡礼から戻る度に、中東情勢に疎いひとたちから尋ねられてうんざりする。聖地とは、聖書の舞台、つまりイスラエル、パレスチナ、ヨルダン辺りをいう。三大陸が交わり、嘗てネアンデルタール人とホモサピエンスが、同時に存在したところでもある。私たちは先ず、イエスが育ったナザレ、宣教したガリラヤ湖周辺を回り、その後、城壁を持つ世界最古の街、海抜マイナス二五〇メートルのエリコから海抜八〇〇メートルのエルサレムへと一気に上って行った。

十字架上の死から復活へと繋がる一連の出来事が起きた都エルサレムは、巡礼のクライマックスとなる。しかし、私たちはこだわって、宿をイエスが生まれたベトレヘムに取った。エルサレム旧市街から車で約三〇分、高さ八メートルもある分離壁を越えたパレスチナ内の貧素なアラブ人の街である。

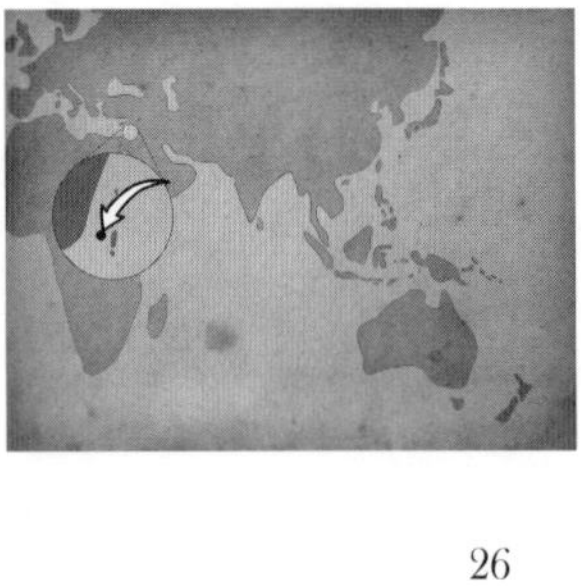

二〇〇二年に建設が始まり、数十万のパレスチナ人に人道的影響を及ぼしている分離壁沿いをある日の夕方、数人で歩いた。〝パレスチナに平和を〟、〝暴力はやめろ〟などと壁面中に描かれている。その時、「パ〜ン」、高い破裂音が聞こえた。さらにもう一度「パ〜ン」。それでも私たちは気にせず歩いていた。帰り道、路地の向こうから十二〜三歳の男の子が自転車で遣って来て言った。「ガー

ス、ガース」。彼の目は、真っ赤だった。

「パレスチナの子どもがいたずら感覚で分離壁の向こう側に石を投げ続け、我慢できなくなったイスラエル兵が壁越しに催涙弾を撃ち込んできたと後で知った。

「暴力的なイスラエル兵とかわいそうなパレスチナ人」。このイメージが、一般的である。しかし、全てイスラエル人が奪った土地というわけではない。二〇世紀初頭、帝政ロシアを発端に、各国でユダヤ人への迫害が起こり、裕福な欧米のユダヤ人たちが当時の聖地の支配者オスマントルコからマラリアの蔓延する沼地や荒れ地を購入して同胞に与えたのがはじまりである。パレスチナの語源も旧約聖書に出てくるペリシテ人からきていて、今のガザ地区辺りにいたギリシャ系の民族で、現在のアラブ系パレスチナ人とは無関係である。紀元一世紀に起きたユダヤ人の反乱以降、鎮圧したローマ帝国がユダヤの再興を嫌ってイスラエルの名を抹消し、パレスチナと名付けただけのことである。

分離壁の前で（パレスチナ自治区ベトレヘム）

「愛するパレスチナ」といった落書きが、分離壁に目立つ。「自分の民族を愛する」だけでは、平和は来ない。ただ、無実の市民が戦闘に巻き込まれ、分離壁の中に押し込まれているのは異常である。あの男の子の赤い目が、とても気になってきた。彼は撃たれた本人だったのか、現場にいただけなのか。もしかすると、あれは私たちに見せた演技だったのか。結局、思い巡らしても、真実は見えてこない。

落書きの中にこうあった。「あなたたちが盲目でも、私たちには見えている」。情報に惑わされず、自分の感覚で真実を見極める力を養いたい。それを突き詰めて行くと、自分だけが救われたいという信仰が全く意味をなさないことも、私は聖地からいつも教わるのである。

ベトレヘムで平和と和解のためのツアーを企画している友人のヤメン・エラベット（左）

2016年10月号掲載

フィリピン共和国（マニラ）　Republic of the Philippines

反面教師ドゥテルテ大統領への期待

　この夏、大学生の体験学習などで、私はフィリピンを数回訪問した。来日して話題となったドゥテルテ大統領の就任直後だった。「品がない」、「大統領のうつわじゃない」といった反応が、友人たちの間にあった。カトリック国フィリピンの司教協議会（CBCP）も、「大統領は、口を慎むべきだ」と公式に声明を出した。麻薬犯罪に関わる容疑者を、裁判にかけず射殺している事実をアムネスティーインタナショナルなどの人権団体が批判していた。しかし、一方で「彼に期待している」というポジティブな声を、貧しい人たちの中に聞いて、私は驚いた。

　私がフィリピンに住んだ八〇年代、マルコス独裁政権下で民衆の意見は真っ二つだった。そんな一九八三年八月二十一日、アメリカに追放されていたベニグノ・アキノ・ジュニア、通称ニノイが、民衆の要望に応え危険を承知でフィリピンに戻ってきた。ヒットソング〝幸せの黄色いリボン〟に思いを託し、大勢の人たちが、マニラ国際空港で黄色いリボンを結んで彼の到着を待った。着陸したニノイは、同行していた報道陣に「必ず何かが起こるから、カメラを回し続けて」と言い残し、出迎えた四人の国軍兵士と共にタラップを降りた。数秒後、銃声が響き、カメラはコンクリートの上に倒れるニノイを捉えた。あの日は、私がフィリピンで迎えた最初の誕生日だった。

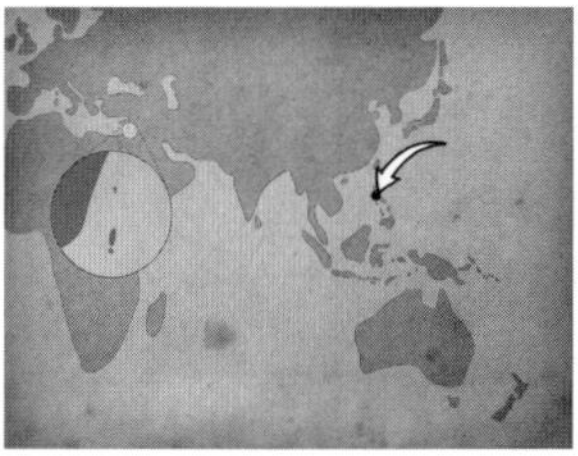

この事件をきっかけに、フィリピン全土に黄色い民主化運動が広がり、一九八七年、ニノイの未亡人コラソン・アキノ、通称コリーが、初の女性大統領となった。彼女は、「国家政策としての戦争放棄」、「領土内完全非核兵器化」を進め、百年以上駐留していた米軍を完全に撤収させ、マルコス独裁政権と半植民地状態の両方から祖国を解放した。

撤収から二十五年、皮肉なことにコリーの息子ベニグノ・アキノ三世が大統領の任期中、フィリピンは米中の板挟みの中で、国内五基地の米比軍共同使用を容認、米軍の再駐留がはじまる。このタイミングで大統領選が行われ、ドゥテルテ氏が勝利したのである。

二〇〇九年八月一日、コリーは、七十六歳の生涯を閉じる。丁度マニラに滞在していた私は、マニラ大聖堂で葬儀を終えたコリーの棺が、ゆっくりとロハス大通りを通って墓地へと進んで行くのを見ていた。黄色のシャツを着た数十万人のひとたちが「コリー、コリー」と叫び、車のクラクションや消防車の警報が鳴り響いた。翌朝の紙面は、コリーで埋めつくされた。「弾圧の暗闇に道をしめしてくれた私たちの一つの小さなろうそく。愛と信仰の内に、祖国を一つに結んでくれた私たちの一つの黄色いリボン。最も力強く、最も愛される大統領になった私たちの一人の素朴な主婦、ありがとう」。

大統領に就任したコリー（左から２番目）と、私にとってのフィリピンにおける母、元社会福祉開発大臣Dr. ミタ・パルド・デ・タベラ（右から２番目）

こうした素晴らしいリーダーを生み出すフィリピンを、私たちはどのくらい理解しているのだろうか。大切な隣国との真の共存の道を築いていくために、ドゥテルテ大統領を反面教師とし、私たち自身が自分たちのあり方を見詰め直し、成長していかなければならないと、私は思う。

17世紀に日本人町があったマニラパコ地区

2016年12月号掲載

日本（沖縄・東村）　Japan

〝やんばる〟の森に平和を、〝やんばる〟の森から平和を

「森が危ない」と沖縄の友人からメールが入り、私は仲間と共に沖縄本島北部〝やんばる（山原）〟の東村高江区を二年ぶりに訪ねた。十一月二十八日、翁長沖縄県知事が、米海兵隊北部訓練場関連で「苦渋の選択の最たるものだ。四千ヘクタールが返ることに異議を唱えるのはなかなか難しい」と述べたことが、「ヘリパッド建設容認」と報道され、翌二十九日の座り込みサイト〝N－1〟には、普段とはひと桁違う三百人以上のひとたちが集まっていた。

〝やんばる〟には、天然記念物のヤンバルクイナや絶滅危惧種など五千種以上の動植物が生息している。この亜熱帯の森の大きな部分を一九五七年以来、米軍が接収し、「ジャングル戦闘訓練センター」として使用してきた。在日米軍施設面積の七十四％が集中する沖縄、沖縄本島の十八・四％が米軍施設で、その三分の一がここにある。密林での戦闘技能、生残技術、負傷兵の輸送などを目的とするこの施設内には、沖縄本島の生活用水の六十％を賄う五つの水源がある。以前、そこに一万発以上の弾薬が投棄され、また枯葉剤の実験に使われていたと聞くと恐ろしい。一九九六年、「沖縄に関する特別行動委員会（ＳＡＣＯ）」は、北部訓練場の約半分を将来返還する際、返還予定地内の〝ヘリパッド（着陸帯）〟七ヶ所に代えて原生林を直径七十五メートル刳り貫いた六つの新設へ

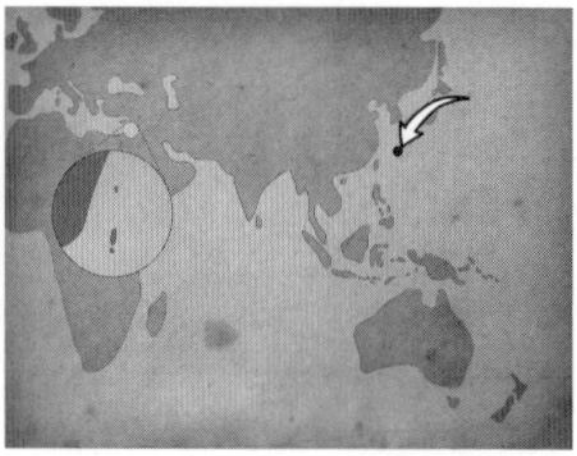

リパッドを条件とした。その後、高江区は「ヘリパッド建設反対」を二度決議したが、二〇〇七年七月、防衛局は強硬に工事を開始し、高江の住民百五十人を中心に重機や資材の搬入口に座り込みをはじめ今に至っている。

「ヘリパッドいらない住民の会」の伊佐育子さんと〝N－1〟で落合い、話を聞いた。「オスプレイが、昼夜を問わず住宅街や小中学校の上空を低空飛行しています。爆音被害や墜落の危険は、一層悪化し、離着陸時に噴射される排気温度も二百十七度になります」。「この地域唯一の天然河口である宇嘉川と建設予定の辺野古の海上滑走路が連動すれば米海兵隊遠征軍最大の上陸演習場になるのです」。

二年前、在日米軍に対する「思いやり予算」は、年間約一八八一億円、これを五年間維持することが決まり、一日約五億円を使っている。トランプ政権が、さらなる負担を迫る可能性は高い。北谷《ちゃたん》町《ちょう》砂辺の米軍用高級マンション街を、仲間に見せた。「一番高いマンションの家賃は、月額六十五万。集合住宅は、二十五万円前後。まあ、彼らは、五万円程度しか払っていませんけど」。近くのハンバーガー屋の店長に、以前聞いたことがあった。

N-1前

八十三歳になる山里勝一牧師を、沖縄キリスト教学院大学に訪ねた。「私たちは、ずっと我慢してきました。十年、三十年、五十年。とうとう七十年が経ってしまいました。あとどのくらい我慢すれば良いのですか。十年ですか、また七十年ですか」。〝N－1〟である女性が歌っていた。「核兵器を持たないと、平和が守れないという。だったら核兵器を使わずに、滅んでしまった方がいい。戦争しないと国は守れないという。だったら、戦争をしないで滅んだ方がいい」。沖縄で今起きていることに無関心でいることは〝無責任〟だと、私は思う。

オスプレイはNO!

2017年1月号掲載

アメリカ合衆国（ハワイ） United States of America

ハワイの歴史から学ぶ、教訓を選ぶ

「寛容な心、和解の力を世界は今こそ必要としている」。真珠湾で安倍首相は、そう強調した。確かに、日米同盟の歩みを評価し、勇者への哀悼の意は表されていた。しかし、アジア・太平洋のひとたち、また直接ハワイで被害を受けた市民や強制収容所に送られた日系人の痛みが共有されたとは、感じられなかった。

丁度、年末年始をホノルルで過ごしていた友人にSNSで尋ねた。「首相訪問の反響はあった?」。「だれも、話題にしてないよ」、「特に観光地には、全く影響なし」と返信がきた。「当然だ」と思いながらも、以前、日本軍の猛烈な攻撃を受け生々しい弾痕が残るヒッカム空軍基地内に滞在中、隣接するアリゾナ記念館にほとんど日本人観光客が行かないのを見て落胆した時のあの気分になった。ましてや、なぜハワイがアメリカの一部なのかと疑問を抱く観光客などほとんどいない。この現実をどう変えていけばよいのか、大きな課題があると私は思う。

一七七八年、太平洋を一〇万キロ以上航海した通称キャプテン・クックがハワイに到来し、歴史は動く。それ以降、イギリス人の影響を受けたカメハメハ大王が、西洋の武器を手にしてハワイを統一することになる。

また、一八六一年、アメリカで南北戦争が勃発すると南部の豊富な農産品、特に砂糖が北部に一切

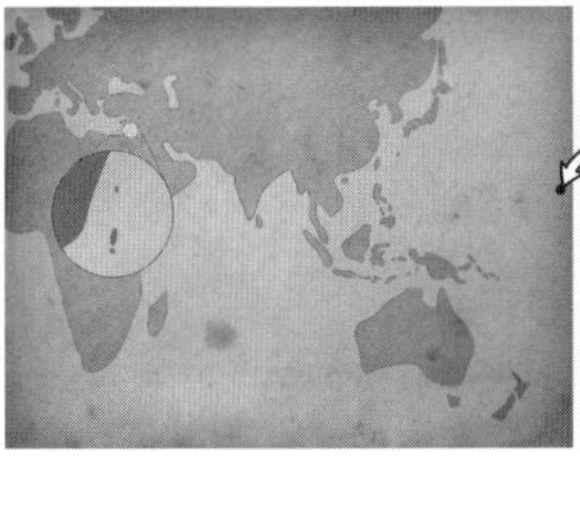

入らなくなり、この突然の需要にアメリカの実業家たちが反応し、ハワイで砂糖産業を興こして大儲けする。しかし、三〇万人以上いたハワイのひとたちは、欧米人が持ち込んだ伝染病に倒れ、七万人以下にまで減少してしまう。プランテーションに必要な労働力不足は深刻化し、そこで目に留まったのが、勤勉で賃金の安い日本人労働者だった。

　一八八一年、新興明治政府は、カメハメハ五世の後を継いだハワイ王国第七代国王カラカウア王を日本史上初めての国賓として招き、一八八六年には「日布渡航条約」が締結される。以後、官約移民約一八万人、移民保護法制定後の私約移民と自由移民一〇万人以上が日本からハワイへと渡って行く。一九二〇年の統計に、「ハワイ総人口の四二・七%が日系人」とあった。

　さらに一八九八年米西戦争が勃発、フィリピンからミクロネシア、マリアナ諸島一帯を数百年に渡って支配してきたスペインがあっけなくアメリカに負けてしまう。この時、フィリピンとグアムを手に入れたアメリカは、当時、アメリカ人が大統領に収まっていたハワイ共和国を、強引に併合し今に至っているのである。

日本軍機の機銃による弾痕
（ヒッカム空軍基地内）

　真っ青な海と空の向こうに横たわるダイヤモンドヘッドをゆっくり眺めたことがあった。あの山は、ヨーロッパと中国で別々に起きていた戦争をひとつの世界大戦にしてしまった真珠湾攻撃も含め、長いハワイの歴史を見詰めてきた。真珠湾で亡くなられた民間人の方々の名簿を見た時、半分以上が日本名であったことを思いだした。

　「受け継ぐ歴史を選ぶことはできないが、そこから学ぶ教訓を選ぶことはできる」。オバマ大統領の言葉が、小さな光としていつまでも消えないことを私は祈りたい。

ワイキキビーチからダイヤモンドヘッドを望む

2017年2月号掲載

ロシア連邦（樺太）　Russian Federation

忘れられてしまった日本の多民族性を問う

ある小学校の授業で「アイヌと北方領土について」という宿題を出した。調べたことを発表しようと、みんな元気に手を上げた。「二月七日は、北方領土の日です」「樺太の地図の南半分には、色がありません」など、思いがけない発言があった。

「樺太」と聞いて、戦後、置きざりにされた韓国・朝鮮人のお年寄りを訪ね、何度となく嘗て樺太庁が置かれた豊原（ユジノサハリンスク）や大泊（コルサコフ）を訪ねた記憶が蘇ってきた。

ある日、亜庭湾《あにわ》の河口のひとつに、友人の全斗漢さんと行ったことがあった。川に向かって、海面が巨大な扇型状に黒光りしている。産卵のために川を上ろうとするマスの大群だった。戦時中に朝鮮半島から移住した全さんが、囁いた。「この島が日本のままだったら、自然を生かしてもっと発展しましたよ。こんな苦しい生活はなかったでしょう」。完璧な日本語で、残されてしまったひとたちの心を代弁した。

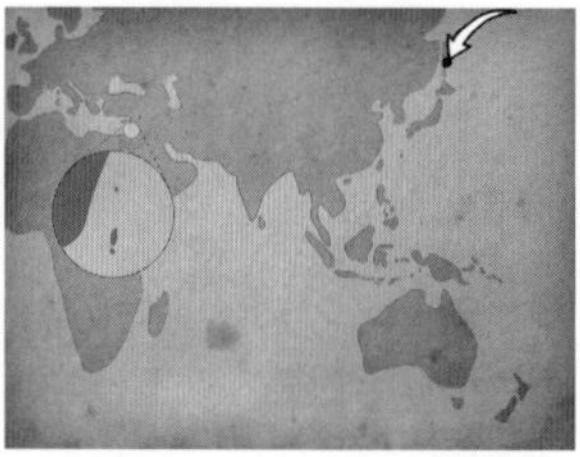

二〇一六年十二月の安倍・プーチン会談では、「共同声明」も出せず、「北方領土問題」は惨敗に終わった。一八五五年二月七日、「択捉島《えとろふとう》と得撫《うるっぷ》島《とう》の間に国境を引き、樺太の領有は曖昧にする」とした「日露和親条約」は、遥か昔の遺物である。豊原で見た一八七三年の資料に、「樺太アイヌ二三七一人、和人一五一二人、ロシア人九八一人が居住」とあった。この樺太アイヌという名称を、私

は不可思議に思ってきた。

以前、樺太アイヌ協会会長の田澤衛さんに、札幌でお会いしたことがある。「樺太アイヌという民族は、元々存在しません。南樺太の先住民族のひとつエンチュを、北海道アイヌに近いとして作為的に呼んだだけです。アイヌとの関係性を強調して樺太の領有を、日本が主張し易くするためです」と。

一八七五年、日露は「千島樺太交換条約」に調印、日本が樺太を放棄し、得撫島以北の千島全十八島を領有する。この時、エンチュは国籍の選択を迫られ、帰属する領土での居住も条件付けられてしまう。日本政府は、エンチュを日本に帰属させようと躍起になり、ほとんど猶予を与えないまま百八戸八四一人を北海道の宗谷に移住させる。その後、さらに内陸の対雁《ついしかり》に再移住させ、この原野で免疫力のないエンチュ約三三〇人がコレラや天然痘に感染し、命を落としたといわれている。

知床から国後を望む

一九〇五年、日本は日露戦争に勝利し、北緯五十度以南の樺太を領有する。対雁や来札で苦労していたエンチュ三三六人も、三〇年ぶりに故郷に戻ることになる。しかし、和人や北海道アイヌの入植に伴い、全エンチュが八ヶ所の「土人部落（当時の名称）」に押し込められてしまう。

田澤さん曰く、「敗戦後、約二千人のエンチュが、ロシアに追い出され再び日本へ渡ります。現在も三千人前後のエンチュが日本にいると思われます。でも、みな日本名しか持たないため、探し切れないのが現実です」。

国家の思惑によって弱い立場のひとたちが、犠牲になる現象は今も昔も変わらない。だからこそ、知るべきことを知り、一握りの特権階級の言いなりになるのではなく、私たちの手で、マイノリティーも大切にされる多文化共生社会を目指さなければならないのである。

対雁に連れてこられたエンチュのひとたち

2017年3月号掲載

日本（大阪）　Japan

四百年の時を越えて
〜右近が示した信仰生活〜

「神のしもべ、ユスト高山右近を私の使徒的権威によって福者の列に加えます」。フランシスコ教皇の代理として来日した教皇庁列聖省長官アンジェロ・アマート枢機卿が、ラテン語で教皇書簡を朗読し、そう宣言した。二月七日正午、数百人のカトリック司祭、日本の全司教、韓国の六人の司教、サイゴン、プノンペンなどからの各大司教、駐日教皇庁大使、マニラのタグレ枢機卿、そしてアマート枢機卿の順に、大行列が大阪城ホールへと入って行った。カトリック信者の他、右近縁の各地関係者、市長、また、十六代目の子孫高山豊次さん（八十六歳）など約一万二千人と共に、列福式がはじまった。

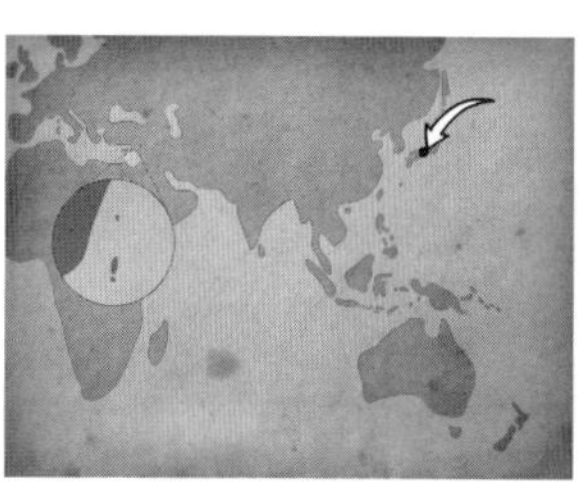

一五六三年、大友純忠が初のキリシタン大名となると、右近の父、高山飛騨守友照がそれに続き、翌年、高山一族と家臣百五十人が沢城で受洗、十一歳の右近は、ユスト（正義）という洗礼名を授かる。一五七一年、高山一族は、高槻に移り、愛と奉仕に基づくキリスト教的社会の構築に全身全霊を投じる。セミナリオ（神学校）を開校し、領内に二十二の聖堂を建設、二万二千人の領民の内一万八千人が洗礼を受け、盛大な復活祭などが祝われたと記録にある。しかし、荒木村重による信長への謀反や本能寺の変以降に起きた秀吉のキリシタン弾圧など、右近は何度となく窮地に立たされてしまう。特に、「伴天連追放令」により、秀

吉直々に棄教を強いられた右近は、これを拒否し領地の全てを没収される。秀吉は、右近を前田利家預けとし、金沢へ送還、一五九七年、長崎二六聖人殉教の際、受刑者の筆頭に右近の名があったと、私は今回知った。「右近の処刑は得策ではない」と側近が秀吉を説得し、除名されたようである。こうした不安定な状況にありながら、加賀での二十六年間、右近一族は命を掛けて宣教と奉仕に努める。しかし、敬愛する宣教師や友が処刑される中、殉教したくても殉教できず、自害も許されない右近の苦痛は、計り知れない。そして徳川幕府により、禁教令が発令され、一六一四年、右近一族は金沢から大坂へ歩かされ、その後、長崎から中国人の小型ジャンク船に乗り三十三日かけてマニラに到着する。数十年前、マニラの友人宅の本棚で見つけた「黄金の日々」に「右近一行は、マニラ総督や大司教の大歓迎を受け、礼砲が響き渡った」と記されていたのを、思い出した。しかし、この長旅は六十三歳の身体を疲弊させ、僅か四十日後の二月三日、右近は帰天する。

高山右近の碑（石川県七尾市）

困難な時代にあっても徹底的に「ごたいせつ(神の愛)」を実践し、貧しいひと、病気のひとに奉仕し続けた右近。教皇庁は、六十三年の生涯の全てが殉教だったと認識し、福者とした。

列福式の最後、私と同期のK神父がこう結んだ。「富や名誉、権力への誘惑を退け、神のみ旨を実践し、貧しく抑圧されたひとや右近のように故郷を離れざるを得ないひとと共に、これらの人々が大切にされる世の中をつくっていきましょう」。四百年前に生きた史的右近をただ讃えたのではなく、四百年の時を超えて神が働いておられると、列福式の中で私は強く感じた。

列福式：徳のある模範的な行為あるいは殉教によって、特に崇敬に値するキリスト者であると教皇庁が証した者を「福者」と称し、福者となる式を「列福式」という。

高山右近の碑の前で祈る（石川県七尾市）

2017年4月号掲載

近くて遠い国に生きるひとたちを思う

北朝鮮（新村） North Korea

マレーシアで殺害された金正男《キムジョンナム》氏の遺体が、平《ピョン》壌《ヤン》に送還されてしまった。真相は究明されないまま、北朝鮮がさらに孤立することになった。

五年前、五味洋治氏著の「父・金正日と私 金正男独占告白」が出版された時、私は直ぐに手にし、「金正男なら北朝鮮を救えるかもしれない」と本気で思った。しかし、その夢は、消えた。

一九九七年、金正日書記が食糧難解決のために宣言した〝じゃがいも革命〟を機に、二〇〇〇年代、幾つかの国際ＮＧＯが世界食糧計画（ＷＦＰ）と協力し食糧支援を本格化させる。私もカトリック系国際機関の一員として、小さな〝じゃがいもプロジェクト〟を立ち上げ、数年に渡って年二回北朝鮮に入っていた。

韓国で培養したじゃがいもの第一世代を北朝鮮と土壌の似た中国の遼寧省で第二世代に育て、それをトラックで平壌から南西百キロの黄海南道、新村の共同農場へ運び、第三世代、第四世代に増大させるプロジェクトだった。農場の幹部と頻繁に打合せをしながら、計画はある程度成功した。新村と平壌の間を頻繁に往復していた私は、車窓からこの国を眺めるのが楽しみだった。

春先、気温が低く木に葉が一切ない頃、土色の大地が遠くまで見え、鉛筆で描いたような細い幾つもの農道で自転車をこぐひと、帰宅途中の中学生、立ち止まってお喋りするひとたちの姿が私の

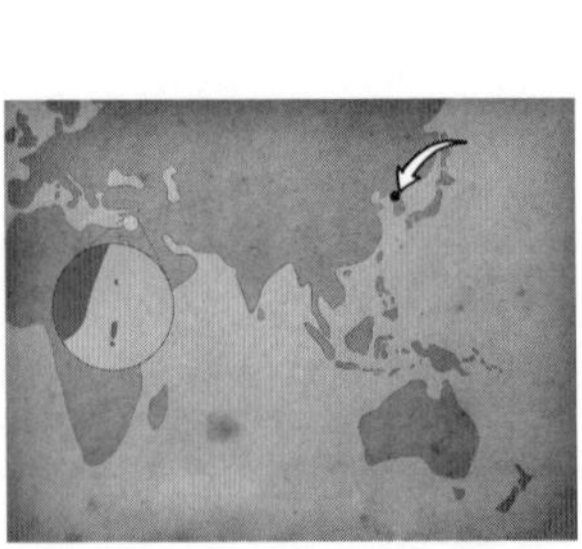

目に入っては、消えて行った。

　秋は、見渡す限り金色の稲穂が輝き、まるで油絵のように美しかった。大きな荷物を背負い下を向いてもくもくと歩くひと、座り込む老婆、泥だらけになって畑で働く家族がいた。「家に帰って何を話し、どんなことで笑うのだろう」「日本統治時代と今とどっちが辛いのだろう」などと、私は思い巡らしていた。

　平壌のホテルに戻ると、良くラウンジに行った。いつも二人の女性が働いていて、その内の李(仮称)という二十代後半の女性と度々話すようになった。平壌出身の李は、平壌音楽舞踊大学を卒業し、父親は、〝主体思想〟を教える大学教授だった。正に、血統の良い、エリートである。しかし、仕事の合間、英語や日本語の辞書をめくりながら勉強している彼女の姿は、日本や韓国の若い女性と全く変わらない。

　私は、質問した。「日本人のイメージはどう」李はすかさず「おおかみ」と苦笑いしながら応えた。李も私に聞いてきたことがあった。「なぜ、日本は米韓と一緒に軍事演習をするの」。「たくさんの誤解や政治がそうさせている」といったニュアンスのことを言って、私はごまかした。

　世界中からプレッシャーをかけられ、どう応えて良いか分からないところまで追い詰められているこの国。しかし、そこには政治と全く無関係の二千万以上の民衆が生きていることを、私たちは忘れてはならない。車窓から私が見たあのひとたちが、少しでも楽になるために、近くて遠いこの国を見捨てず、距離を縮めたいと真剣に考える仲間が周りに増えていくことを、私は心から願っているのである。

じゃがいも第３世代の収穫に成功してほほ笑む共同農場の責任者

黄海南道新村

2017年5月号掲載

中華人民共和国（ハルビン）　People's Republic of China

北東アジアの大地に思いを馳せる

熱海での所用を終え、友人と熱海三大別荘のひとつ「起雲閣」に立ち寄った。太宰治や谷崎潤一郎など文豪たちが名作を生んだ部屋を巡り、最後の展示室に遣ってきた。数枚の白黒写真が、廊下に掛けられている。それを見た途端、私は文字通り釘付けになった。ラストエンペラーで知られる大清国最後の皇帝で、後に大満州帝国皇帝に担ぎ出されたあの愛新覚羅溥儀《あいしんかくらふぎ》（一九〇六～一九六七年）が、三人の子どもと微笑んでいる。また、嵯峨侯爵の令嬢で溥儀の弟溥傑に嫁いだ浩《ひろ》が、溥傑や周恩来と写真におさまっている。企画展「王昭《ワンザオ》展～溥儀の六番目の妹、愛新覚羅溥韞娯《ブユンユ》を母とする北京出身の画家、王昭画伯の展覧会～」が催され、王氏（一九五〇年～）の幼い頃の様子が紹介されていたのである。両親ともに画家で、文革中にとても苦労した王氏は、その後、最年少で北京画院のメンバーとなる。一九八二年には、来日を果たし東京芸大の平山郁夫氏の門下生となって、現在、世界で活躍している。

王氏のプロフィールの中に、さらに驚かされる一文があった。「父は、中国金王朝第二七代目皇帝」。案内係の男性から「王昭さんの作品に押されている印鑑に注目してください」と話しかけられた。「〝完顔《ワンヤン》〟、これは金王朝のシンボルなんです」。それを聞いた瞬間、一年ほど前、中国黒龍江省の森林地帯で知ったある記憶が蘇ってきた。

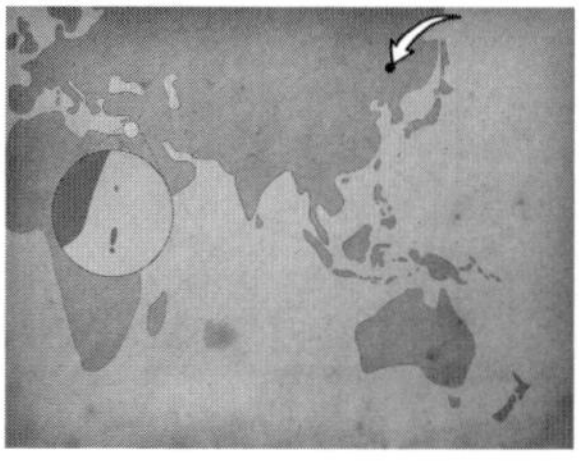

黒龍江省の省都ハルビンから南へ二十キロ、「マルタ」と呼ばれた中国人やロシア人など約三千人を人体実験に使い殺害した旧日本陸軍第七三一部隊跡へ取材に行った日のことである。取材の後、一日契約の車とドライバーを無駄にしないため、ガイドブックの片隅に見つけたある場所へ、私は行くことにした。広大な大地を牡丹江方面に向かって東に進み、途中で道を尋ねながら目的地に辿り着いた。大金太祖武元皇帝之陵。金王朝初代皇帝太祖（在位一一一五〜一一二三年）の墓である。太祖の本名は、完顔阿骨《アク》打《ダ》、「完顔」が金皇帝の姓であると、私はこの時知った。

女真族《じょしんぞく》の完顔阿骨打は、当時、北東アジア一帯を支配していた遼を滅ぼし、一一一四年、金を建国する。砂金で栄えていたため、国号を金としたと伝えられている。金は、漢民族の北宋も滅ぼし、中国の北半分を支配下におくが、その後、モンゴルのチンギス・カンが勢力を伸ばし、一二三四年、滅亡してしまう。それから四百年、建州女真族のヌルハチが、部族を統一して一六一六年、後金《こうきん》を建国、この時、女真の名を満州族に改名し、国号も「後金」から「清」に改め、大清国へと発展するのである。

完顔阿骨打の陵墓に向かうアプローチ
（ハルピン市阿城区延川南大街）

広大な中国をある時期支配した満州族の金と清の子孫が、近代になって親戚関係にあったことを、今回私ははじめて知った。

黒龍江省の大地を走りながら、ドライバーが言っていた。「この地方の冬は寒いけど、豊かな良いところですよ」「日本とも、関係が深いですし」。その言葉の裏には、深くて重い歴史がたくさん詰まっている。日本が犯した過ちも含め、嘗て、日本人が精力的に生きたこの北東アジアを、日本人はもっと知る必要があるのではないか。熱海での思いがけない出会いが、私に改めてそう感じさせたのである。

ハルピンの中心街

2017年6月号掲載

ラマダンにジャムウと出会う

インドネシア共和国（スンバワ島）　Republic of Indonesia

出張の前日、私は近所のスーパーで日頃買わないインスタント系のスープや缶詰、ビスケットなどを買い込んだ。出張先は、インドネシアのスンバワ島ドンプ県。行き慣れてはいるが、今回イスラム教の断食月〝ラマダン〟にぶつかってしまった。一ヶ月間、小さな子どもですら、日の出から日の入りまで、水一杯口にしない。食堂も、真っ暗になるまで完全に閉まってしまうのである。

私たちは、外務省の案件でキリンサイという海藻の養殖事業を実施してきた。特にこの数ヶ月、収穫したキリンサイを利用して村の女性たちが健康と環境に留意した石鹸の試作をはじめている。石鹸に香りや色、効能などを付加するため、日本からの専門家を交え、地元で入手可能な素材の発掘が主な訪問目的である。毎朝、一時間以上かけて村々を訪ね、昼過ぎまで作業や打合せをすると、気温は三十度を超え水分補給と多少の腹ごしらえが私たちには必要となる。そのため、毎回ホテルに戻り、部屋でこっそりと飲み食いするのである。ゴミ箱に捨てる物にも気を使い、豚の脂や豚肉と疑われそうなパッケージを避けるため、スーパーでの買い物にかなりの時間を費やしてしまった。

ドンプ県漁業局で、色付けや効能について話し合った際、私はこの国の民間伝承薬ジャムウについて質問した。「ジャワやバリのジャムウは使えないでしょうか」。向かいに座っていたラザック次長

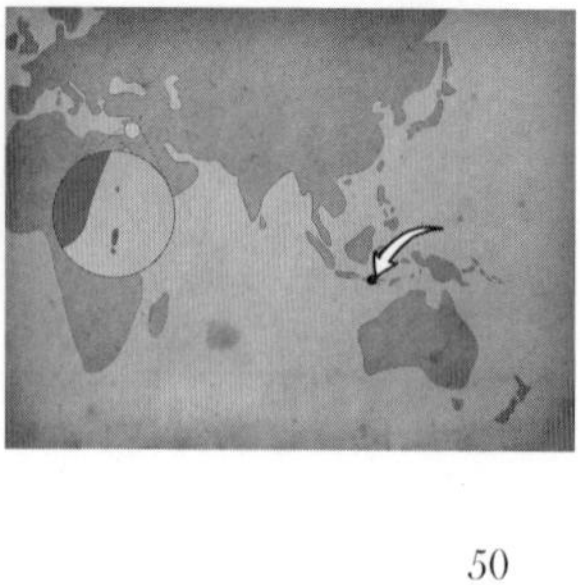

が、少々不満げに反応した。「スンバワにもジャムウはあります」。イスラム色の強いスンバワ島にジャムウがあると、私は全く思っていなかった。「明日の朝、私の実家に来てください。叔母と姉に準備させます」。ラザック氏が、そう言い切った。

ジャムウは、サンスクリット語の「ジャパ」、「呪文」や「祈祷」の意味を語源とし、インドやインドシナ半島からスマトラ島やジャワ島にヒンドゥー教が入った際、一緒に来たインドの伝統医学〝アユルベーダ〟の流れを汲む。世界の熱帯植物の約七十五パーセントが生息するインドネシアで、植物の実、皮、葉、根などを主原料とするジャムウは、独自の発展を遂げる。八世紀の仏教国シャイレーンドラ王朝や十三世紀のヒンドゥー教マジャパイト王朝でそれが体系化されたと、私は思っている。

石鹸作りに励む日本人専門家とスンバワの女性たち

翌朝、ソロバラート村のラザック氏の実家へ行った。中庭で五人の女性が、大きな臼で何かを砕いている。「生姜科の植物だけで約二百種あります。根茎を砕いてペースト状にして、他の生薬を混ぜて薬効を高めるのです」。真っ黄色の液体がコップに注がれ、「飲みなさい」と女性が私に目配せした。「ラマダン中でしょ」、私は、真面目に聞いた。「これはジャムウです」「何を言っているんだ」という視線を受け、私は口に含んだ。「苦い」、しかし、「あった。正にジャムウだ」とこの発見に、私は感激した。

ヒンドゥー教が齎したこの伝統を、彼女たちは誇りにしていた。敬虔なイスラム教徒でありながら、ずっと深いところでヒンドゥー教を絶妙に融合させ、ひとびとに命と希望を与えていることを、ラマダン真っ最中の素朴な女性たちから、私たちは教えられた。

スンバワにもいた、ジャムウを処方する女性たち

2017年8月号掲載

ガリラヤ湖に般若心経が響く

イスラエル国（ガリラヤ湖）　State of Israel

ティベリアの桟橋から、二千年前の古代船をモデルにした貸し切りボートで朝のガリラヤ湖上に出た。形が竪琴に似ていることからヘブライ語では竪琴を意味する〝キネレット〟と呼ばれる淡水湖である。爽やかな風が心地良く、イスラエル・パレスチナ巡礼にやって来た仲間十人で初日の朝の祈りをはじめた。祈りの結びに、聖歌「ガリラヤの風かおる丘で」を船上で歌い、イエス・キリストの世界へとタイムスリップしたような錯覚に陥っていく。

　イングランドのリチャード一世率いる十字軍と死闘を繰り広げたイスラムの英雄サラディン王が、天使に導かれた伝説の残る茶褐色の聖地ナビーシュアイブの断崖絶壁が目の前にそそり立つ。それを背景にして、緑の木々が並ぶ小さな集落が見えてきた。「あそこが、ミグダルです」。エルサレム在住の名ガイド西郷広暁《ひろあき》さんが、手で方向を示した。ミグダルはマグダラとも呼ばれ、新約聖書に登場する〝マグダラのマリア〟の故郷で、イエス・キリストが生きた二千年前、カペナウム、ベトサイダ、コラジンと並ぶガリラヤ湖周辺に栄えたユダヤ人の町のひとつである。「対岸の、急激に湖へと落ち込む崖が分かりますか」。今度は、西郷さんが右手を指した。「ルカの福音書八章、『ゲラサ人の地、イエスが異邦人の地で悪霊を追い出すと、悪霊が豚の群れの中に入り込み、豚が湖に傾《なだ》

れ落ちて溺死した』という有名な話の舞台です」。今も、考古学者が湖底に潜って、豚の骨を探していると以前聞いたことがあった。そして、小一時間、私たちの船は、二千年前の古代船が奇跡的に良好な状態で湖底から発見されたキブツ・ギノサルに到着した。

　翌、ティベリア二日目の朝、私たちは眼下にガリラヤ湖を見下ろす丘に立った。「貧しい人々は幸いである、神の国はあなたがたのものである。飢え渇く人々は幸いである、あなたがたは満たされる……」とはじまるイエスの教えの真髄〝山上の垂訓〟が弟子たちに伝えられた聖地である。ここに建つ〝山上の垂訓教会〟の屋外祭壇で、ミサを捧げるために私たちはここに上がってきたのである。ミサの開始直前、巡礼に参加されている臨済宗建長寺派の元宗務総長高井正俊《しょうしゅん》和尚が、私に囁かれた。「後で良いので、この丘で般若心経を唱えさせて貰えませんか」。予期せぬお言葉だったが、私は「勿論」ととっさにお応えした。「どのタイミングが良いか」考える間もなく、ミサははじまった。そしてミサの結びの祈りに入る直前、私は「ここだ」と感じ、「今、どうぞ」とお伝えした。高井和尚は、直ぐに応えてくださり、会衆とその向こうに広がるガリラヤ湖に合掌、一礼し、「般若心経」がはじまった。二千年前、貧しく、抑圧され、病に苦しんでいた大群衆が、救いを求めてイエスのもとに集まったこの丘から、厳かに、力強く「般若心経」が響き渡った。宗教を超えて、全てのひとの幸せと平和を願う私たちの祈りが、ガリラヤの湖上を駆け抜け、世界に広がっていくのを参列した私たち全員が感じた心地の良い特別な時間だった。

ガリラヤ湖で高井正俊和尚（左端）が
般若心経を唱える

朝を迎えたガリラヤ湖

2017年9月号掲載

シンガポール共和国　Republic of Singapore

父の二つの口癖

マレーの王たちが、禁断の丘と称したブキットラランガン、シンガポールで最も標高の高いところである。現在、フォート・カニングと呼ばれるこの丘から街の中心街、観音堂とヒンドゥー教のスリ・クリシュナ寺院が仲良く並ぶウォータールー通りまで歩いて下った。お目当ての建物は、真向かいのスタンフォード・アート・センター。しかし、シートが掛けられ、屋根が剝ぎ取られているのを見て私はショックを受け、工事現場に入り込んだ。インド人の労働者が、血相を変えて遣って来た。「立ち入り禁止です」。「解体ですか」、私は、諦めずに尋ねた。「いいえ。文化財として残すための工事です、来年の四月には終わります」。戦前日本人小学校だったこの建物は、父が六年間通っていたため、私にとって特別なところである。窓枠や水道の蛇口が、八十年前の写真と同じ姿でまだ残っているのを確認し、私はほっとした。「シンガポールは暑いけど、良いところだよ」、父の口癖が、聞こえてきたような気がした。

　一三世紀後半、シュリヴィジャヤ王国のパラメスワラ王子がこの島に逃げ込んだ際、ある動物をライオンと間違えて叫んだ。「シンガ（獅子）」。それ以来、〝シンガプーラ（獅子の町）〟と呼ばれるようになったという説がある。一八一九年、イギリス東インド会社のスタンフォード・ラッフルズは、インド洋と太平洋の中央に位置する〝シンガ

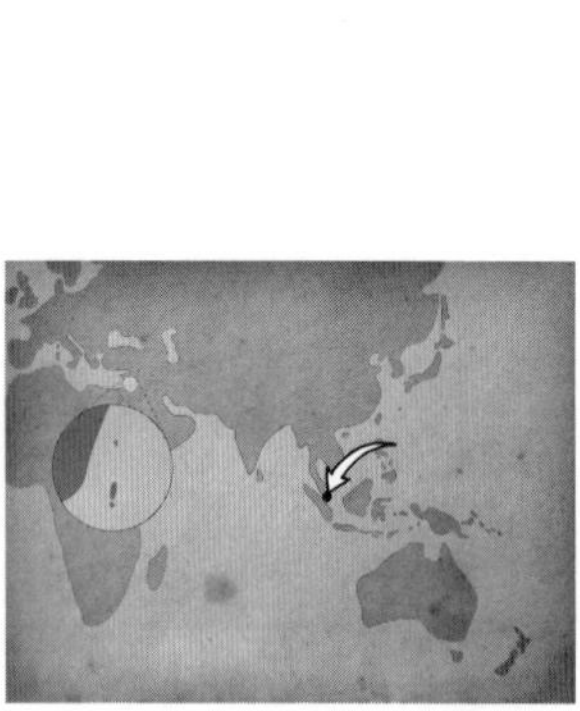

プーラ〟に目をつけ、ジャワ島を拠点とするオランダ東インド会社に対抗するため港湾の整備に全力を注ぐ。フォート・カニングは、それ以来、ペナン、マラッカを統合する海峡植民地の拠点となる。

日本人墓地の片隅で、「信女」あるいは「イネ」、「マツ」といったカタカナ二文字の名の刻まれた小さな墓標に目が留まる。「シンガッパ（シンガポール）のホテル奉公は、大きなゼニになるぞ」と騙され、一八七〇年以降、島原や天草から連れてこられた少女たち。この「からゆきさん」こそ、シンガポール初代在留邦人といえるかもしれない。性病、マラリア、熱帯病を患い、十代二十代で命を落とした彼女たちは、荼毘に付され牛馬の棄骨場に埋められた。海やジャングルに捨てられ、また、息のあるうちにワニの餌として売られた者もいた。この惨状を見て、娼館主かつ雑貨商の二木多賀次郎が、英国植民地政庁と掛け合い、自らゴム園の一部を提供して二十七体を埋葬し、今に至っているのである。

一九四一年十二月、日本軍はマレー半島に侵攻し、フォート・カニングの地下司令部で指揮を取っていた英軍は無条件降伏する。日本軍の戦死者約三千五百人、英豪印連合軍の戦死者七千人以上、捕虜は十二万人に達し、大英帝国史上最大の敗北となる。「どうして日本の兵隊が、シンガポールを攻めて、イギリス人やインド人を殺すのか全く意味が分からなかった」、父のもう一つの口癖だった。シンガポールの明るいイメージとは裏腹に、私たちが知るべき様々なストーリーが、この地に詰まっていることを、もっと多くの日本人に気付いて欲しいと、父の第二の故郷に来る度に、私は思うのである。

修復中の在シンガポール旧日本人小学校

シンガポール日本人墓地の片隅にたつ小さな墓標

2017年10月号掲載

フィリピン共和国（イサベラ州）　Republic of the Philippines

北部ルソンで生きつづける私たちの心の絆

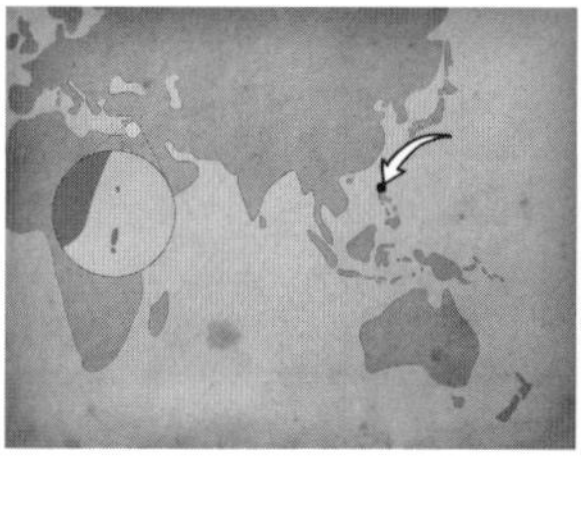

フィリピン、ルソン島北部のイサベラ州マラボ村で、デンタルミッション第一日目がはじまった。ベテランの緒方克也歯科医師が、七歳の女の子の口を覗いて唸った。「うーん、五十年前、こんな虫歯が日本でもありましたよ」。上顎、下顎の全ての歯が、茶色くボロボロになっている。直ぐにこの子の母親を探したが見つからず、別の五歳の女の子に付き添っていた中年女性が二人の祖母だと分かった。妹の歯もさることながら、両膝のふきでものはもっと酷い。「ペニシリンを砕いて傷口に塗り込みました」。あり得ない応えに、私は言葉を失った。〝スケビーズ〟、疥癬である。肉眼では見えない小さなヒゼンダニが、角質層に入り込み、一日に数ミリ程度の速度で〝疥癬トンネル〟を掘り、産卵、ふ化を繰り返す皮膚感染症である。私は、膝と歯の状態を見て、この祖母を強く叱った。すると、彼女は言った。「この子たちの父親は、昨年十二月二十三日、脳梗塞で亡くなりました。三十九歳でした。母親は、サウジに出稼ぎに行ったきりです」。そう聞いて、彼女自身も貧困に喘ぐ犠牲者のひとりであると思い、私は叱ったことを反省した。

一九八〇年代、日本の援助でイサベラ州ギバン村にＣＢＨＤＰ（地域密着型保健開発プログラム）センターが開設され、その後、日本全国から医師や看護師、歯科衛生士を募り、年に一度の公開診療〃メディカルミッション〃が開始された。この活動は、二〇一五年に三十年目を迎え、一旦終止符を打つ。しかし、緒方医師と私は、歯科のグループだけでも通い続けたいと考え、二〇一六年、デンタルミッションを実施、今回は二回目となる。今回は、地元の内科、小児科、眼科、歯科の各医師や看護学生の応援があり、新しいメディカルミッションが誕生した。

一九七七年、マルコス独裁政権の下、イサベラ州のカトリック・イラガン教区長ミゲル・プルガナン司教が、貧しい農民のためにと鎌倉に本部をおく女子修道会〃聖母訪問会〃にシスターの派遣を要請。それに応え、三人のシスターが派遣されギバン村に小さなクリニックが開設された。この存在を日本カトリック医師会が知り、年に一度メディカルミッションを計画し、三十年間、実施し続けたのである。

イサベラ州の州都イラガン市

二十年間フィリピンで責任者を務めたシスター諏訪清子氏の話を、思い出す。「日本は、戦争中、アジアでたくさんのひとたちに迷惑をかけました。その償いをどこかでしたいと思っていた時に、プルガナン司教さまと出会いました。日本の兵隊さんだけで約五十万人が亡くなっているフィリピンの中で、特に、コルディエラ山脈とシエラマドレ山脈に挟まれたイサベラ州とその北のカガヤン州は、最後まで日本軍が抵抗した地域です。数十万人の日本兵は、この山中で戦病死あるいは餓死し、多くの住民も巻き込まれました。ここには祈りと和解が絶対に必要だと思い、イサベラで生きる決心をしたのです」。

この心は、今も日比双方の仲間の中に生きている。だからこそ、絆を保ち、和解と友情のシンボルとして、このデンタルミッションは続けていきたい、そう私は思うのである。

小学校の教室を利用して治療する日本人歯科チーム
イサベラ州イラガン市バコロド、ナギリアン村

2017年11月号掲載

真っ白い鳥居の立つ丘

台湾（牡丹） Taiwan

終戦末期、米潜水艦の攻撃によってバシー海峡に散った約二十万人以上の日本軍将兵のため、昨年、超宗教超宗派で慰霊祭を行った台湾南端に、私は再び立った。今後の慰霊祭の相談が主な目的だったが、時間が許せば一ヶ所訪ねたいところがあった。日本人にほとんど知られていない「宮古島民台湾遭難事件」と「台湾出兵」の現場「牡丹社」である。滞在している恒春《ホンチュン》市から近いはずだったがネットで位置を特定できず、八十五歳になる私にとって台湾の母といえる鐘節美《しょうせつび》さんにその旨を伝えた。しかし、既に予定は詰まっており、節美さんもよく知らないようで「今回は無理だから、よく調べて次回行きましょう」と釘を刺された。

初日の朝、初めて恒春を訪れた友人のため、最南端の鵝鑾鼻《ガランピ》岬に向かった。中秋節（十五夜）の日で、海岸周辺は大勢のひとで溢れ、駐車するスペースがない。南端を迂回し、東側の太平洋岸に出たが、やはりどこも満車である。小一時間北上し、昼食の時間になってしまい満州という街で昼食を取った。昼食後、運転席に戻った鐘さんの娘婿が呟いた。「近くに、日本の神社があるらしい」。そう聞いた私は、皆の都合を全く無視して断言した。「行こう」。箱根のような山道を上り、山頂近くに着くと丘の上に、日本式の鳥居が見えた。石段を上ると真っ白い鳥居の前に「牡丹社事件之高

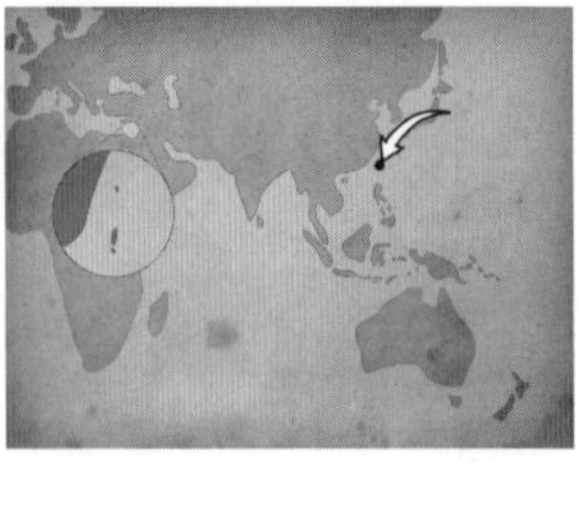

士佛社」と記された看板が目に入り、私は思わず節美さんに叫んだ。「牡丹ですよ」。諦めた牡丹社に、なぜか来てしまったのである。

　十七世紀、福建省から台湾に漢人が移住しはじめると、漢化した先住民（台湾表記では、台湾原住民）を「熟蕃《じゅくばん》」、漢化していない先住民を「生蕃《せいばん》」と区別するようになる。一八七一年、琉球の中山王（首里）に年貢を納めた帰途についた一隻の宮古島船が難破し、台湾の恒春郡満州庄九棚に漂着する。乗員六十九人の内三人が溺死し、残りが山中へ迷い込み、「生蕃」のパイワン族（排湾族）の土地に踏み入ってしまう。そして何かの理由で五十四人が殺害され、十二人は、福建省経由で那覇へと逃げ帰る。「宮古島民台湾遭難事件」、明治政府はこの事件に対して清国に抗議し、一八七三年、特命全権公使兼外務大臣の副島種臣が処理交渉を開始。清国は、「熟蕃と生蕃あり、王化に服するのを熟蕃といい、服従しない生蕃は化外に置いて支配せず」と回答し、「貴国が化外の民として治めずんば我が国は一軍を派遣して、わが民を害する残忍な蕃人を懲罰すべし」と副島は主張し、〝台湾征伐（台湾出兵）〟を強行したのである。

牡丹社の白い鳥居の下で

　日本軍は、恒春に近い車城郷から上陸。牡丹社の排湾族に総攻撃をかけ、復讐を果たす。その後、「琉球は日本に、台湾は清国に」と調停があり一旦落ち着くものの、一八九四年に起きた日清戦争の結果、半世紀に渡り台湾は日本の一部となるのである。
「牡丹に行けたのは、不思議だった。神様が訪ねてほしいと思って呼んだんじゃない。私は、前世が日本人だったみたいだから分かるの」。節美さんの言葉に、私は返した。「節美さんは、今も日本人ですよ」。彼女が、嬉しそうに微笑んだ。

琉球藩民五十四名の墓

2017年12月号掲載

タイ王国（バンコク）　Kingdom of Thailand

二つのワットに挟まれたチャオプラヤーの畔で

　観光客のいない静かな朝、「合掌しましょう。ヌン（1）、ソン（2）、サーム（3）」、「上を向いて、ヌン、ソン、サーム」。黄金の巨大涅槃仏が横たわるタイ王立寺院ワット・ポーの境内で、ルーシーダットンを体験した。三日間のバンコク出張中、三島由紀夫が割腹自殺を遂げる半年前に身を刻む思いで書き上げた「暁の寺」、ワット・アルンをチャオプラヤー川対岸に臨む小さな宿を、私は取っていた。ラーマ二世の菩提寺となった「暁の寺」は、ラーマ三世によって整備され重層感に溢れている。中央の大仏塔を四つの小仏塔が囲み、「この塔は無数の赤絵青絵……嵌め込まれた数知れぬ皿は花を象り、あるいは黄の小皿を花心として、そのまわりに皿の花弁がひらいていた」と三島は著している。

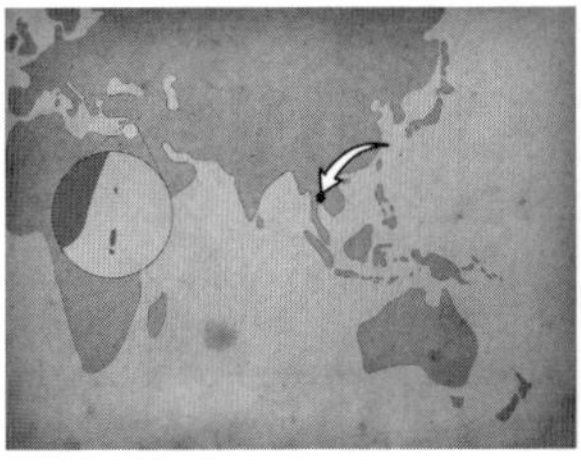

　ホテルから「暁の寺」と逆方向に歩くと、一分でワット・ポーの境内に着く。境内東奥に、ラーマ三世設立のワット・ポー伝統医療学校がある。既に、裸足で準備している地元民や空港から直行したと思われる日本人サラリーマン、ガイドブック片手に遣って来た若い日本人女性などが集まっている。午前八時、徐《おもむろ》に、医療学校の先生が現れ、三十分間のルーシーダットンがはじまった。片足立ちで合掌し、両腕を水平に広げる。つま先を上げて「ヌン、ソン、サーム」。終了間際、片足立ちの膝を曲げ、もう一方を前方に突き出して両手で

抱え込み、前屈姿勢に入った。当然、私はバランスを崩して両足をついて脱落。堪える者、ついていく者と様々である。しかし、この驚異的なバランス調整の技法を知り、私は感動して、結局三日間、毎朝ここに通うことになった。

「ルーシー」とは、サンスクリット語で「苦行者」、「ダッ」は、「曲がったものを戻す」、「トン」は、「自己」などと訳され、「修行で疲れた身体を、元の正しい状態に戻す健康体操」とルーシーダットンは説明される。インドの伝統医学アーユルヴェーダを土台に、ブッダの主治医ルーシー・チーワカコーマラパットが祖とタイのひとたちはいう。それから大勢のルーシーの様々な体験が蓄積され、今の形になっていったのだろう。

一七八二年、ラーマ一世が立てたバンコク王朝(チャクリー王朝)は、現在ラーマ十世の代を迎えている。一七八八年、アユタヤ王朝時代からのワット・ポーを改修し、ラーマ三世の代に現在の形に整備された。この時、境内にタイ初の大学が創設され、ワット・ポー伝統医療学校には、薬草の調合法、マッサージ術、ルーシーダットンの資料などが収集される。ルーシーダットンの体位を示す八十体の鋳物と各体位の効果を詠った詩が、境内に配置されたのもこの頃である。

ワット・ポーの境内に置かれた
ルーシーダットンの体位を示す鋳物

見知らぬ外国人を、自然体で受け入れてくれるタイのひとたちの懐の広さに、私は改めて感激した。仕えられる宗教ではなく、仕えるために知恵を提供する宗教観も、ラーマ三世のやさしさとして伝わって来た。幸せは先ず、自分の身体のバランスを整えることからはじまるとワット・ポーに教えられ、いただいたその全てを感謝して、川向こうに輝く「暁の寺」ワット・アルンに合掌し、私はバンコクを後にした。

ワット・ポーの境内にある身体のツボを描いた壁画の一部

2018年1月号掲載

ミャンマー連邦共和国（ヤンゴン）　Republic of the Union of Myanmar

〝教育ゼロ〟から脱するために

レトロな応接間に、チャウ・ス・ラインさんが入って来た。「日本の方々に、心から感謝しています」、物静かな二十歳の彼女は、そう挨拶した。二年前、友人のシスターケビンの依頼で、教育の機会がないミャンマーの若者をさまざまな短期養成コースに送り込む奨学金プログラムをはじめた。その内の何人かに会うため、クリスマス直前、私はここに遣って来た。大英帝国時代の面影を強く残す首都ヤンゴンの中心街。中でも老朽化が著しい巨大なレンガ造りの建物、ヤンゴン総合病院の真向かいにこの修道院はある。昨年の十一月末、ミャンマーを訪問されたフランシスコ教皇の写真が、いたるところに残るこの場所は、懐かしい。初めて私がミャンマーを訪れた一九八五年、ここでお茶をご馳走になった。あれから三十三年、修道院の建物は、あの時のままである。

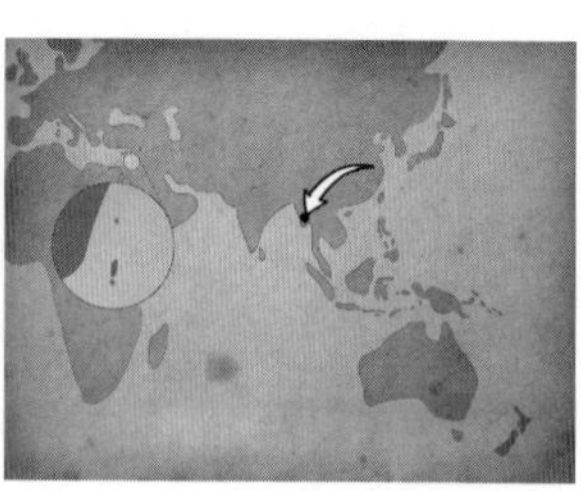

ミャンマーの教育制度は、小学校五年、中学校四年、高校二年、そして大学へと続く。五歳で小学校に入学できるが、順当に進む子は稀で、金持ちや将軍の子ども以外でストレートに〝高校卒業兼大学入学試験〟、いわゆる「セーダン試験」にパスした生徒を、私は知らない。義務教育の小学校ですら行けず、僧院に預けられ寺子屋式教育を受ける子どももたくさんいる。

一九八八年、クーデターで軍政が敷かれ、各学校は閉鎖と再開を繰り返すことになる。大学のカリキュラムも短縮され、四年間の学部が、二年弱で卒業となり、教育レベルはどん底にまで落ちてしまう。スーチーさんが政権を取った今も、その状況は変わらない。「セーダン試験」の結果を元に、本人の意思とは関係なく進路や学部が当局によって決められてしまう制度も信じ難い。シスターケビンが、いう。「ミャンマーには、四つの医学部と二つの看護学校があります。年間約二百人の医学生が卒業しますが、全員が自分の意思で医学部に入ったわけではありません。卒業後ビジネスに転向する優秀な若者も少なくなく、医療従事者は極端に不足しています。コネのない若者は高等教育を受けられず、手に職のないまま放置されているのです」。

「勉強は、どう」。ラインさんに聞いた。「今、看護助手と薬剤師補佐の三ヶ月コースに通っています。家は、マンダレー北部の農村で、ヤンゴンからバスで十八時間かかります。コースを終えたら、医師も看護師もいない自分の村でお年寄りや病気の子どもたちの世話をします。でも、もし奨学金が続けば、遠隔教育大学（ＵＤＥ）の試験を受けて勉強を続けたいです」。日本の放送大学のような遠隔教育大学の質は、決して高くはない。しかし、農村部や山岳地帯の若い女性が〝教育ゼロ〟から脱するためには、活用せざるを得ない。

レトロな応接間で語るシスターケビン（左）とラインさん（右）

「女性の識字率を上げれば、幼児死亡率は下がる」。国際ＮＧＯの間で、数十年来いわれ続けてきたことばである。また、「女性の意識が変われば、世界は変わる」と最近、友人が良くいっている。「村のひとたちのために、私はもっと勉強したいです。どうかこれからも、支えていただけませんか」。ラインさんの素朴な願いに、「勿論」といって、私は彼女の手を握った。

ヤンゴンの路地裏で

2018年2月号掲載

オーストラリア連邦（カウラ）　Australia

カウラへの道

　シドニー在住のベトナム人の招きで、私はオーストラリアにやって来た。一九九九年、東ティモールで紛争が起きた頃、北端のダーウィン経由で何度となく東ティモールへ向かった頃のことを思い出す。当時、行くことが叶わなかったある場所に行きたいと思い、シドニーでの用事を済ませベトナム人の友人とレンタカーで出発した。

　高級ワイナリーと牧場が続くニュー・サウス・ウェールズの丘陵地帯を走ること四時間、三二〇キロ西のカウラに到着。第二次世界大戦中、ここに捕虜収容所があった。一九四三年に入るとニューギニアやソロモン辺りで捕虜になる日本兵の数が増えていく。既にオーストラリアには、北アフリカで捕虜になったイタリア兵約一万四千、海上で捕らえられたドイツ海軍の将兵千五百、戦前、真珠貝採取業やサトウキビ農園に入植した日本人契約移民約二千人が、抑留されていた。一九四四年、カウラにはその一部である日伊兵と日本軍に徴用された朝鮮人、中国人、さらに親日反オランダのインドネシア人など約四千人がいた。

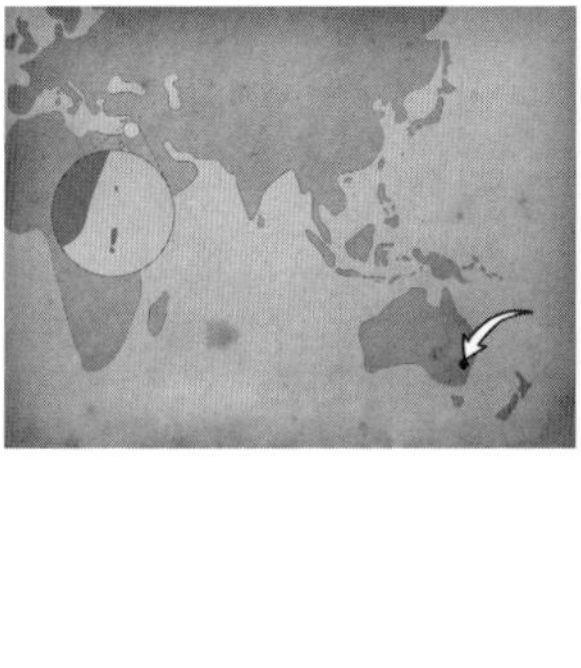

　豪軍は、全捕虜を丁寧に扱い、日本兵には野球や相撲の場も提供していた。しかし、「生きて虜囚の辱めを受けず」と戦陣訓を叩き込まれた日本兵たちは、本国の家族が非国民と呼ばれることを恐れ、八割が偽名を使い、死に場所を探していたのである。尋問され、その内容が写真付きで地元紙

に掲載されたと知って、自殺未遂事件を起こす日本兵もいた。

　こうした空気の下、近代軍事史上最大の脱走事件が起こった。一九四四年八月五日午前二時、約千百人の日本兵が突撃ラッパを合図に、釘を撃ち込んだ野球バットや食事用のフォーク、ナイフを片手に決起したのである。Bブロックに収容されていた日本軍下士官と兵士の内、兵士七百人のみを他の収容所に移動させるという通達を不服とした強硬派の煽動によるものだった。カウラの街のインフォメーションセンターで、豪警備兵の証言記録を見せて貰った。「日本兵が、何を考えているのか全く理解できなかった。宿舎に火を放ったため、炎で全てが見える中、機銃掃射をまともに浴びながら突っ込んできた」。「毛布を被って鉄条網に飛びつき、その上にまた別の兵士が飛び付き、撃ち殺されていった」。足を痛め突撃できないため宿舎で首を吊ったものを含め、二百三十一人の日本兵と四人の豪兵が命を落とすことになる。

　Bブロックの全員が、〇×式投票で脱走を決断したと記録されている。しかし、「脱走はいやだ」、「生きたい」と誰がいえただろうか。戦いを終え、家族に手紙を書きながら収容所生活を前向きに捉えたイタリア兵と成功率ゼロと知りながら突撃を決行した日本兵。生命に対する認識の違いと自己を抑え、空気に流される傾向にある日本人の特質がこの悲劇を生んだといえる。街の北にある日本人墓地に行った。直ぐ脇に寄り添うように豪軍戦没者墓地があるのを見て、目頭が熱くなった。「悲しい歴史はあったけれど、今は真の友ですよ」。街の洋裁店を経営する女性が、日豪関係をそう話した。和解と平和は、ここに眠る全ての人のおかげと思い、ありったけの感謝の気持ちを込めてベトナム人の友人と黙祷を捧げた。

カウラ捕虜収容所跡を歩く

昔の敵、今は古き友（カウラのインフォメーションセンターで撮影）

2018年3月号掲載

カンボジア王国（バイリン）　Kingdom of Cambodia

三八年前と同じ〝におい〟と〝温度〟の中で

「鎌倉中央ロータリークラブ」の会長並びに幹事と共に、カンボジア西部バタンバン州を訪ねた。姉妹クラブである「京都洛西ロータリークラブ」が、この十年間、カンボジア内務省直轄のＣＭＡＣ（カンボジア地雷対策センター）と共に、地雷問題が最も深刻なバタンバン州の地雷原復興プロジェクトを支援してきたためである。ＣＭＡＣは、三五五ヶ所の地雷原を処理し、京都洛西は、その中のクリアン村とチロック村に小学校を建設し、安全な水を一日四千リットル供給できる水飲み場七ヶ所を完成させた。今回、一〇年のくぎりとして、クリアン村の水飲み場開設に際し、ＣＭＡＣ長官以下の責任者、バタンバン副知事や役人、京都、鎌倉のロータリアン十数名と数百人の村人が参加して盛大な式典が催された。

一九七五年四月一七日、ロン・ノル政権が崩壊し、極左のポル・ポト派が首都プノンペンを制圧する。「腐ったリンゴは、箱ごと捨てろ」のスローガンの下、旧政府の政治家、軍人、教師、宗教家などが次々と連行されていった。「通貨廃止」、「仏教僧侶強制還俗」、「悪の巣窟」と称された都市部住民の農村部での強制労働と拷問、処刑によって、推定約三〇〇万人が殺害されたとされる。

一九七八年一二月二五日、ベトナム軍が侵攻し、プノンペンは解放される。しかし、約三万人のポル・ポト派がタイ国境の山間部などに逃げ込

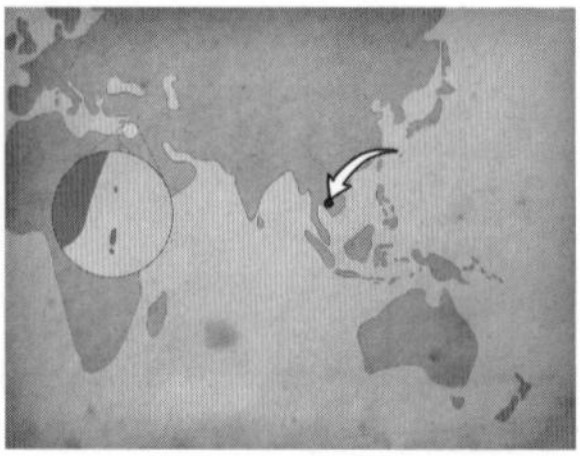

み、内戦は長期化し、一〇〇万人を超える難民がタイに流出。一九八〇年一月、私もタイ領内に開設されたサケオ難民キャンプに入り、病人やけが人、トラウマ状態にある大勢の難民を目の当たりする。このキャンプで、私は、約六五〇人いた孤児の中の一三歳から一六歳の男子約三〇人の世話を仰せつかり、複雑なカンボジア情勢を良く理解しないまま毎日を過ごしていた。サケオにいた難民の大部分がポル・ポト派だったこと、また、私の生徒の多くが少年兵として戦場に戻ったことを、私は後で知ることになる。

　今回、バタンバンの街からチロック村に向かって、私たちはもの凄い埃の中、未舗装の道を三時間半西に進んだ。窓越しに「五七号線」、「パイリン」の標識が目に留まった。パイリンは、一九九八年までポル・ポト派が抵抗し続けた最後の拠点で、山を越えればサケオは遠くないはずである。

地雷原に入るため防弾チョッキを身につけた日本からのロータリアン

　式典で、ロタナCMAC長官が、子どもたちに向かって小一時間語りかけた。「私たちは、この二〇年間、約三〇〇万個の地雷を処理しました。最大のスポンサーは、日本です。まだ、一五〇万個以上の地雷と不発弾が残っています。でも、今日は、喜びましょう。もう、雨水や田んぼの水を飲まなくて良いのですから。好きなだけ水を飲んで、一所懸命勉強して、平和を守ってください。そして、皆さんにお願いします。一〇年前、日本人は、この惨状を見て涙を流しました。ですから、今度、日本人が戻って来た時、学校や水飲み場が壊れていて日本人がまた泣くことのないようにしてください」。子どもたちの表情を見つめながら、三八年前と全く同じ〝におい〟と〝温度〟の中、キャンプにいた私の子どもたち全員の姿が鮮明に蘇ってきた。

一生懸命勉強して平和を守ってくださいと託された子どもたち

2018年4月号掲載

東ティモール民主共和国（ラウテム県）
The Democratic Republic of Timor-Leste

あれからかれこれ二〇年、鎌倉で新しくなる

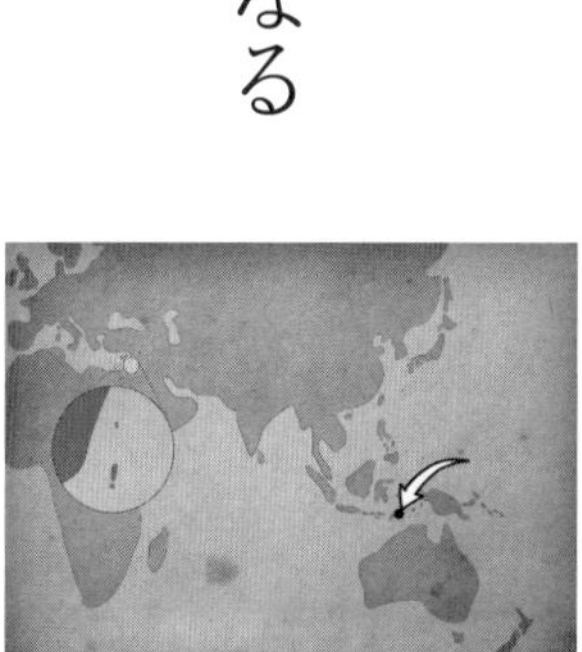

今年の三月、約二十年の間、日本人スタッフを派遣し続け東ティモールで活動してきた「東ティモール医療友の会（AFMET）」が、日本人を常駐させない新体制に移行するため、同会の副理事長である私は、現地に赴いた。

一九七五年十一月、インドネシア軍が、インドネシア領西ティモールからポルトガル領東ティモールに侵攻し、東ティモール併合政策がはじまる。抵抗する若者は連行され、小中学校では女子生徒に予防接種と偽って避妊薬が投与された。ゲリラ戦や飢餓は、二十四年間で約二十万のティモール人の命を奪うことになる。インドネシアの大統領は、スハルトからハビビに代わり、一九九九年五月、〝独立に関する住民投票〟を実施。東ティモールは、独立の道を選択する。しかし、親インドネシア併合維持派の民兵が全土の約九十パーセントに及ぶ民家や学校などの建造物に火を放ち、オーストラリア軍などの多国籍軍が介入し、二〇〇二年五月、漸く東ティモールは、二一世紀最初の独立国となるのである。

住民投票が実施されていた頃、数年間の準備の末、鎌倉に本部をおく女子修道会「聖母訪問会」で、AFMETは誕生する。インドネシア占領下の酷い時期、子どもたちの〝健康診断〟を名目に、十年間、毎年東ティモールに通い続けた聖母訪問会のシスターノエミ亀崎善江医師の意向を受け継ぐ

為だった。二〇〇〇年、ＡＦＭＥＴは、東端のラウテン県で診療活動と並行して予防医療と衛生教育を中心とした〝第一次医療〟プログラムを開始。当初、韓国軍やフィリピン軍などの多国籍軍にも助けられ、世界保健機関（ＷＨＯ）や各国ＮＧＯ、カトリック教会と協力しながら予防医療のため数百人のＣＨＷ（保健ボランティア）を養成し、薬草の使い方や石鹸の作り方、手作りトイレや家内に煙がこもらない料理用かまどの普及などの活動をしてきた。

一六世紀、ポルトガルは、モザンビークから日本に及ぶ海上帝国を築き上げ、アジアの拠点をゴアにおいてマラッカ、マカオ、マカサル（スラウェシ島）、そしてティモール島を含むヌサ・トゥンガラ諸島へと支配を広げていく。しかし、一六四一年、オランダ東インド会社にマラッカを奪われると、一挙に衰退し、二十世紀までアジアで保持した植民地は、ゴア、マカオ、東ティモールのみとなってしまう。ポルトガル語を公用語とするポルトガル、ブラジル、カーボベルデ、ギニアビサウ、アンゴラ、モザンビーク、サントメ・プリンシペは、一九九六年「ポルトガル語諸国共同体（ＣＰＬＰ）」を結成し、後に東ティモールと赤道ギニアも加盟する。日本人に馴染みの薄いこの大ネットワークの中で、アジアの一員である東ティモールの歴史と文化だけでも日本に伝え続けたい。私たちは、友人、知人を巻き込みながら新体制で臨むため、都内にある事務局を鎌倉に移すことにした。そんな矢先、三月十七日にシスターノエミが帰天された。享年九十五歳。「ティモールに行くと、小さなひとびとから学ぶことがたくさんあるの」、口癖だったシスターノエミの言葉と微笑みを思い出しながら、「鎌倉で新しくなるAFMETを見守っていてくださいね」、私は、天に向かってそう囁いた。

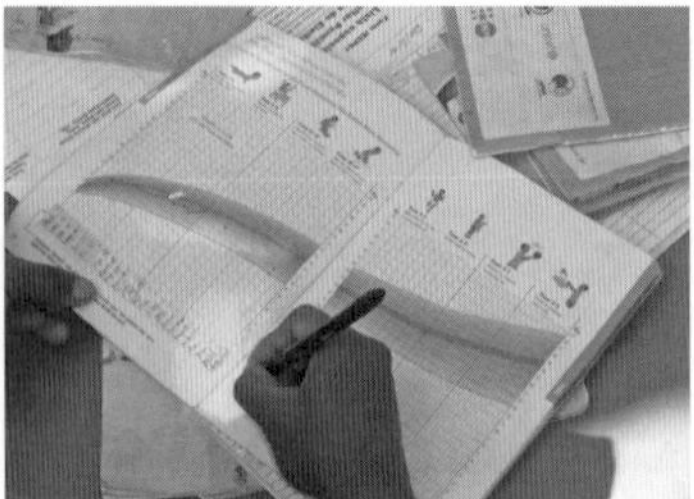
ひとりずつ体重、身長、胸周りを測定して記載する

予防医療開始

2018年5月号掲載

ドイツ連邦共和国（ミュンヘン）　Federal Republic of Germany

新たな使命をになった懐かしの黄色い建物

真っ青な春の空に、フラウエン教会のツビーベルダッハ（玉ねぎ型屋根）の塔が映える。荘厳な鐘の音が鳴り響くと、三十六年前、私が留学していた頃の光景が蘇ってくる。四年ぶり、私はまた、古巣ミュンヘンに戻ってきた。

数ヵ月前、当時のルームメイト、ボルフガング・エルプから一通の手紙を貰った。彼が体調を崩したこと、また、私たちが暮らしていたカトリック系の学生寮〝ヨハネスコレーク〟が、難民収容施設に転換されたことが記されていた。ヨハネスコレーク、あの黄色い建物が今どうなっているのかひと目見たいと思い、時間の合間に、私は地下鉄に乗った。

一九八〇年代、ヨハネスコレークには、二十ヵ国を越える留学生とドイツ人学生およそ百二十人が暮らしていた。常にドイツ語が喋れるように、寮生の半数は必ずドイツ人で、門限もなく、自由な寮生活を送っていた。唯一気がかりだったのは、横幅二人分はある大柄な修道女、シュベスター・ロランダが、掃除の点検のため朝昼を問わず、突然部屋に入ってくることだった。あのスリリングな思い出も、今となってはただただ懐かしい。そんなことを考えながら、地下鉄を降りて歩いていると黄色い建物の前に着いた。「シュベスター・ロランダ！　多分、もう天国だろうな」と思い、三～四階の窓を見回すと、ヒジャブを被ったイスラ

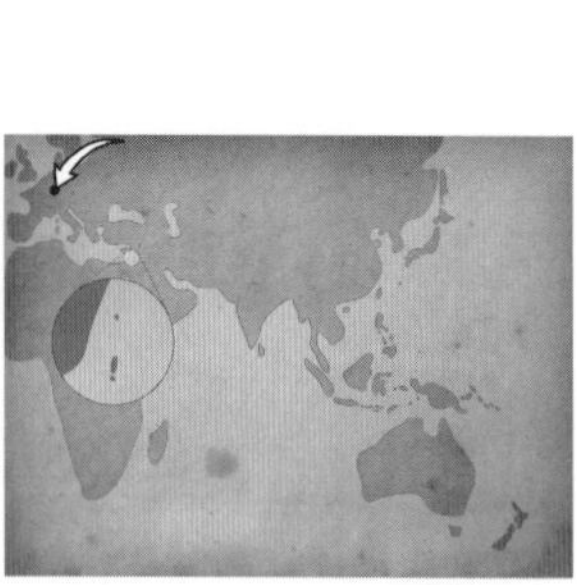

ム教の女性と目があい、彼女は直ぐに部屋の奥に消えた。

二〇一五年九月、中東やアフリカ大陸から大量の難民が押し寄せてくると、メルケル首相は、難民申請のため百万人を超える難民を入国させる。しかし、後に起きた数件の暴行事件が難民の仕業と報道されるなど、排他主義、人種差別的発言も増えて、現在、政策の見直しを余儀なくされている。古い友人ホルスト・ティシュラーに、マリエン広場界隈で会った。「難民は、都市部に来たがる傾向がある。しかし、都市部には、低コストの住宅が圧倒的に不足していて、キリスト教系の施設などを開放せざるを得ない。ヨハネスコレークは、その一例といえる。でも、人道支援にも、限度がある。街のいたるところにイスラム街ができ、公共施設の食堂からドイツ風の豚肉料理のメニューが消えたとも聞く」。それでも、ドイツ人は、行き場のない難民を受け入れようと努力していることが良く分かる。

静まり返ったヨハネスコレーク正面

翌日、ミュンヘン近郊、旧ナチスの強制収容所が残るダッハウへ行った。三十以上の国から約二十万人の囚人が連行され、ドイツ人活動家や政治家、カトリック司祭などを含め三万二千人以上が亡くなっている。今も、当時のガス室や焼却炉が完璧に保存され、「超高度実験」や「冷却実験」といった人体実験の資料や写真も整然と公開されている。過去の過ちを認め、平和構築に努めるドイツ人の姿を感じる学びの場として、私は以前から良くここに来ていた。今回、静まり返ったヨハネスコレークを眺め、また、ダッハウに佇みながら、「私たちは、ドイツ人に比べてまだまだ一流でないな」と感じ、あの黄色い建物が、私にとって新たなもうひとつの学びの場になったことに気づいたのである。

旧ダッハウ強制収容所の扉

2018年6月号掲載

パラオ共和国（アンガウル島）Republic of Palau

パラオのお年寄りの思いを次世代に

疎遠になっていた友人から、一冊の本が届いた。私が事務局長をしていた〝カトリック信徒宣教者会（ＪＬＭＭ）〟の研修を終え、二〇〇〇年の春にパラオ共和国に派遣された山本悠子氏からの謹呈『パラオの心にふれて』だった。当時、山本氏は還暦を迎え、新しい言語の習得は難しいと判断した私たち事務局は、旧南洋群島のお年寄りから約三十年にわたる日本統治時代の証言を聴き取るミッション（使命）を彼女に託した。

一九九五年、ローマで開かれた百二十カ国以上の代表が集まる国際会議の最中、口ひげを生やし、日焼けした壮年男性が突然私の前に現れた。「パラオから来たウエキです」。完璧な日本語を話すパラオの日系人、ドクター・ウエキ・ミノルとの出会いだった。当時、私はパラオがどこにあるのか全く分からなかったが、それを機に、パラオ国立病院の院長ドクター・ウエキを通して、パラオとの深いかかわりが始まる。

第一次世界大戦終結後、パリ講和会議で旧ドイツ領の西太平洋赤道以北に浮かぶ六百二十三の島々が、日本の委任統治領となる。日本政府は、パラオに「南洋庁」を置き、ヤップ、トラック、ポナペ、サイパン、ヤルートなどの統治を開始し、島民への日本語教育や職業訓練に力を注ぐ。

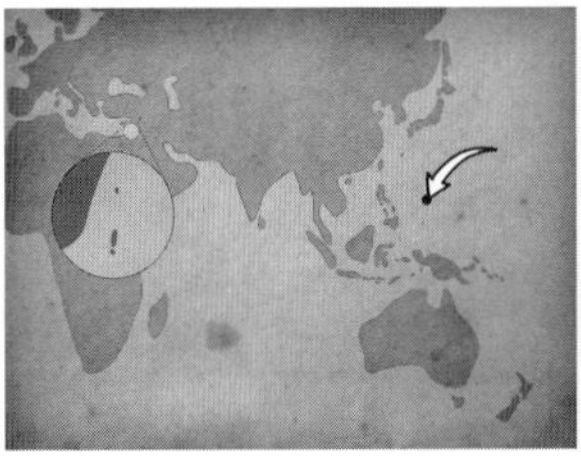

私は、パラオに行く度に、お年寄りから飛び出る昔話に夢中になった。ドクター・ウエキをはじ

め、パラオ国民の心の支えだったフェリックス神父。日本軍が玉砕したアンガウル島出身で、私たちが離島に行く度に必ずボートを提供し、同行してくださったマチアス・トシオ・アキタヤさん。小説家であり貴族院議員だった三島通陽《みちはる》子爵から息子のように可愛がられ、旧東京農芸学校を卒業したセバスチャン・コウイチ・オイカングさん。思い浮かべると、たくさんのおじいちゃん、おばあちゃんの顔と声が蘇ってくる。山本氏を含め、私たちはその証言に聴き入ったのである。

　海が時化て何回も断念し、数年越しでようやくアキタヤさんが私を生まれ故郷のアンガウル島に連れてきた日、いつもとは違う口調でこういった。「アメリカさんの潜水艦や飛行機がここに来るようになって、船が出せなくなってね。百七十人の島民が、残っちゃったんだよ。艦砲射撃が始まって、米軍が上陸してきた。妹が足を撃たれて、水も食べ物も全くなくなって、これで死ぬ、これで死ぬと毎日思いました。だから戦争は、もう絶対にしないでください」。

元気な頃のアキタヤさん
（バベルダオブ島北端で）

　また、十六年前、パラオのお年寄り十七人と福岡から東京まで大旅行をしたことがあった。福岡空港から長崎に向かうバスの中、一九二八年生まれのヴェロニカ・レメリン・カズマさんが私の隣に座った。バスは出発し、しばらくするとトンネルに入った。彼女が、私に尋ねた。「たか神父さん、これトンネルでしょ。キシャキシャ、シュッポ、シュッポって歌っていました。でも、パラオにトンネルはないからね。やっと本物のトンネルを通れました」。

　みんな、天国に行ってしまった。しかし、山本氏の力作に刺激され、まだやれることがある気がしてきた。「使命は、まだ終わっていないよ」。天国から指令が送られてきたような思いにかられ、まだ元気なドクター・ウエキに急いで会いに行きたくなった。

ヴェロニカ・レメリン・カズマさん（前列左から3人目）が学んだ
日本統治時代の公学校の教師と生徒たち

2018年7月号掲載

インドネシア共和国（バリ島）　Republic of Indonesia

ヨガを通して、心に平和の光が灯る

「頭を天にのばして〜、腰は大地に根づかせて〜」。陽が落ち始め、空はオレンジ色のマジックアワーへと移る頃、バリ島クタの砂浜でゆったりと時間が過ぎてゆく。深い呼吸を繰り返し、三十人を越える女性と数人の男性がサンセットヨガで心をひとつにする。数年来、私たちが支援してきた「零細漁村の女性による海藻キリンサイを活用した健康プログラム」の現場、イスラム色が非常に強いスンバワ島からの女性十六人は、全員ヒジャブを頭に被っての参加である。日本からのヨガインストラクター四人を含む九人、東ティモールの友人三人、さらに地元バリの数人が加わり、ユニークなグループが誕生した。

数か月前、在デンパサール日本総領事館で、毎年六月二十一日の「国際ヨガの日」前後の日曜日、インド総領事館主催の大ヨガ大会が日本総領事館面前のラパンガン・ニティ・マンダラ公園で開かれると聞いた。スンバワのプログラムにヨガを取り入れる計画だった私たちは、「国際ヨガの日」を組み込んだ新プログラムを直ぐに考案した。三泊四日で実施する「海藻とヨガを中心とした健康維持の手法を共有するための日本・インドネシア女性ワークショップ」である。今年はまた、「日本・インドネシア国交樹立六十周年」に当たっていたため、この企画を「六十周年記念事業」にしようと在ジャカルタ日本大使館に申請し、認定も取っ

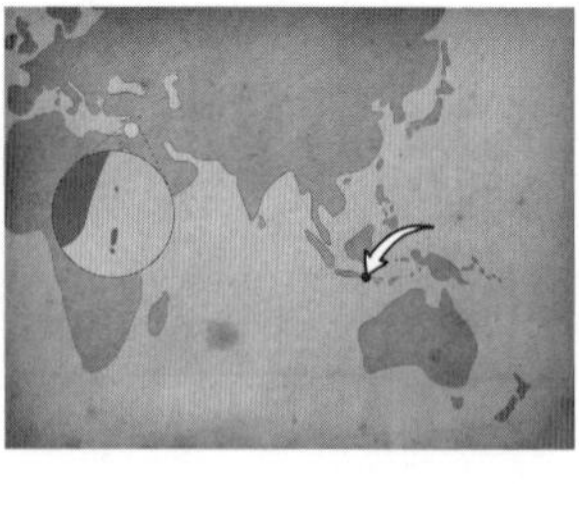

た。

　六月十七日日曜日、早朝五時、大ヨガ大会に参加するためバスをチャーターして、私たちはデンパサールに向かった。広大な公園の中に巨大なスクリーンとインドの国旗をあしらったＩＤＹ（国際ヨガの日）のロゴを見つけ、心が高ぶりはじめた。午前六時三十分、司会者がステージに上がると、「国際ヨガの日」を制定したインドのナレンドラ・モディ首相からのビデオメッセージが映し出された。そして、バリ人のインストラクターによる三千人を超える大ヨガセッションがはじまり、無理なく、心地の良い二時間のプログラムは、あっという間に過ぎていった。ヒジャブ姿のスンバワの女性たちも満喫した様子で、その後、ホテルに戻って私たちはセミナーを続けた。

　三日目の早朝六時、プールサイドで朝ヨガの時間になった。日本人以外、誰も見当たらない。遅れること二十分、スンバワの若手女性たちが小走りにやって来た。その姿を見た瞬間、私は自分の目を疑った。ほぼ全員がヒジャブを外し、髪をさらけ出している。その後、いつも通りの姿で現れた年配者も加わり、朝ヨガを終え、朝食の時間になった。四人掛けのテーブルに行って、私は彼女たちに尋ねた。「ヒジャブを取ってしまって、大丈夫なの」。ヤンティという女性が、ニッコリと微笑みながら答えた。「大丈夫。みんなもう家族だから」。思いがけないその一言に、私は感激した。

クタビーチで味わった
サンセットヨガ

　大スクリーンの中でモディ首相が言っていた。「ヨガは、心に平和をもたらします。その平和が広がれば、世界に平和が訪れると、私は信じています」。正に、スンバワ、バリ、東ティモール、日本から集まった「大きな家族」の中に、「平和の光」が灯された数日間だった。

在デンパサールインド総領事館主催の大ヨガ大会にメッセージを送る
インドのナレンドラ・モディ首相

2018年8月号掲載

ヨルダン（ネボ山）　Jordan

大預言者モーセ終焉の地ネボ山

　毎年恒例になりつつある「山口道孝神父と行くイスラエル聖地巡礼」に、今年はヨルダンを加えた。目的は、標高八百十七メートル〝ネボ山〟である。「エリコの向かいにあるモアブ領のアバリム山地のネボ山に登り、わたしがイスラエルの人々に所有地として与えるカナンの土地を見渡しなさい。あなたは登って行くその山で死に、先祖の列に加えられる」（申命記三十二章四十九―五十節、新共同訳より）。約三千五百年前、神は、モーセにそう告げられた。

　イスラエルのテルアビブ空港に着陸した私たちは、バスに乗り込み、三大宗教の聖地、海抜約八百メートルのエルサレムを横目に東へと進む。海抜ゼロメートル地点を通過し、一万年前に遡る世界最古の街エリコに到着。ネボ山でモーセが「先祖の列に加えられた」後、後継者となったヨシュアが、〝約束の地カナン〟に入り最初に攻め落とした、海抜マイナス約二百メートルの街である。

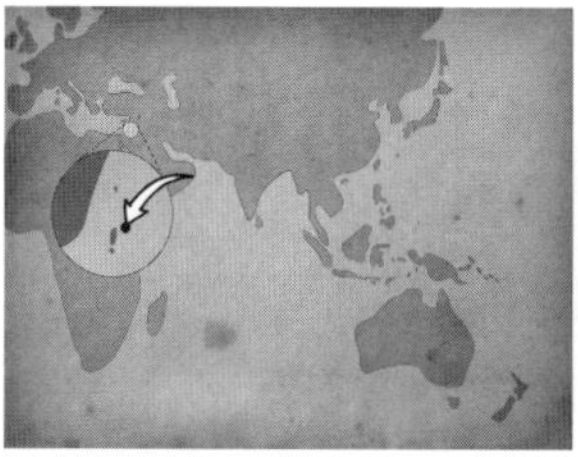

　昼食後、イエスが、ヨハネから洗礼を受けたヨルダン川の洗礼場近くを通って、停戦ラインへ向かう。イスラエル軍が占領する〝ウエストバンク〟のアレンビー橋検問所で待つこと一時間、イスラエル側の出国許可が下りた。パスポート検査を受け、建物の裏手に出て、待っていた別のバスに乗り込み出発。鉄条網が何重にも張られた中間地帯を進むと、至る所で黄色い札が目に留まる。〝地雷

未処理区域〟。四十五年前、撤退していったヨルダン軍が敷設した時のままである。バスは、アレンビー橋を渡り、橋の名が〝キングフセイン橋〟に変わったところでヨルダン側の検問所に着いた。

「ヨルダンにようこそ」、「昼でもヨルダン」、流暢な日本語でムハマドさんに迎え入れられた。「オスマントルコ帝国の支配下にあったヨルダンは、第一次世界大戦後イギリス委任統治領パレスチナの一部になりました。その後、預言者ムハマド（マホメット）の直系ハーシム家のアブドッラー・ビン＝フセイン王が迎えられトランスヨルダン王国が成立。一九四六年、正式に独立して、今はヨルダン・ハシェミット王国、王様は、アブドッラー二世、五十六歳でとても人気があります」。

一九六七年、第三次中東戦争で、〝ウエストバンク〟はイスラエル軍に占領され、大量のパレスチナ難民がヨルダンに流入。今もこの問題は解決の兆しが見えず、地雷と共に放置されている。聖書には、「神の命を受けたモーセが、奴隷状態にあったヘブライ人（イスラエル人）をエジプトから脱出させ、四十年間の荒れ野で苦しい生活をした末、遂にネボ山から〝約束の地〟を望んだ」（出エジプト記・申命記）と記されている。ネボ山の山頂には、モーセのために建てられた四世紀と五世紀の教会跡が発見され、フランシスコ会の考古学研究所が管理している。時代の異なるモザイクを巧みに生かした美しい聖堂の中に入った。歴史を超えた静寂した空間に身を置くうちに、三大宗教が挙って敬うモーセの姿が現れたような気がしてきた。この大預言者の取次ぎを願いながら、「この地に真の平和がきますように」、ムハマドさんと共に、私たちはそう祈った。

ヨルダンの家庭料理「マグルーバ」

ネボ山から“約束の地カナン”を望む

2018年9月号掲載

インド（ポンディチェリ）　India

カフェが似合うインドの街ポンディチェリ

「だるまさんがころんだ」。日本の高校生と大学生が、地元の小学二年生たちに日本の遊びを教えて、大いに盛り上がった。ポンディチェリの有名校「汚れなきマリアの心女子学院」の校庭でのひと時である。今年の夏、学校や障がい者施設、病院などを訪ねる九日間の体験学習ツアーを企画し、学生と共にベンガル湾に面した南インドのタミル・ナードゥ州とポンディチェリ州を巡った。特に、タミル・ナードゥ州に囲まれたポンディチェリ市街とその南百三十二キロにあるカーライッカール、またケララ州の中にあって六百四十五キロ西のマーヒ、アーンドラ・プラデーシュ州に囲まれ二百六十キロ離れたヤーナムから成るポンディチェリ連邦直轄州には独特の歴史があり、私は気に入っている。

歴史的に、インドがイギリスと深い関係にあったことは、良く知られている。しかし、それとは全く異なる歴史を辿った場所が、インドにあることを知るひとは少ない。フランシスコ・ザビエルが眠るゴアは、十五世紀から一九六一年までポルトガルの植民地だった。そして、ポンディチェリは、十七世紀からフランスの植民地だったのである。

イギリスやオランダに対抗して、ルイ十四世がフランス東インド会社を設立し、一六七二年、ポンディチェリ周辺を地元のラジャ（藩王）から獲得して、フランスは植民地を拡大していく。しかし、一七五四年、ヨーロッパで七年戦争が起こると、英仏の戦いはインドにも飛び火し、〝プラッシーの戦い〟でフランスは完敗、インドの植民地の大半を失うことになる。辛うじて領有を許されたのが、既述の連邦直轄州となっている四ヶ所だったのである。しかし、一九五四年、〝ディエンビエンフーの戦い〟でホーチミン率いるベトミン軍に大敗北を喫したフランスは、一八八七年以降領有していたベトナム、ラオス、カンボジアの独立とポンディチェリのインドへの併合を認め現在に至っているのである。

リキシャ（輪タク）に乗って、旧市街をゆっくりと巡った。真っ白い旧総督官邸や裁判所、兵舎やカトリック学校、そして教会などフランス式の建物が美しく並んでいる。今も各所に「トリコロール」がはためき、兵士や警官の帽子は円柱の胴に水平の庇が付いた赤いケピ帽で、フランス陸軍と同じである。

ポンディチェリの街並み

今回念願叶って、ポンディチェリの海岸線沿いの草むらの中に横たわるアリカメドゥ遺跡に行った。一九三七年以降、フランス人が発掘調査を進め、ローマ帝国のアウグストス皇帝が描かれた凹版や金貨が発見され、紀元前二世紀から古代ローマ人が居住していたことが明らかになったところである。

インド滞在中、小学校から大学まで二〇以上の教室を訪ね、たくさんの交流ができた。必ず聞かれる質問の一つは「どうしてインドに来たの」だった。日本の学生たちは、それに上手く答えていたが、私も頭の中で答えを思い巡らしていた。「インドは大きく、古い歴史とたくさんの言語、民族、宗教が生きる魅力的なところだから」。その時ふと閃いた。「ローマ人もフランス人も、きっとそう思ったんじゃないか」。私は、益々ポンディチェリが好きになった。

“だるまさんがころんだ”で盛り上がるポンディチェリの小学生たち

2018年10月号掲載

小さな学校で見た、たくさんの輝く瞳

フィリピン共和国（マニラ）　Republic of the Philippines

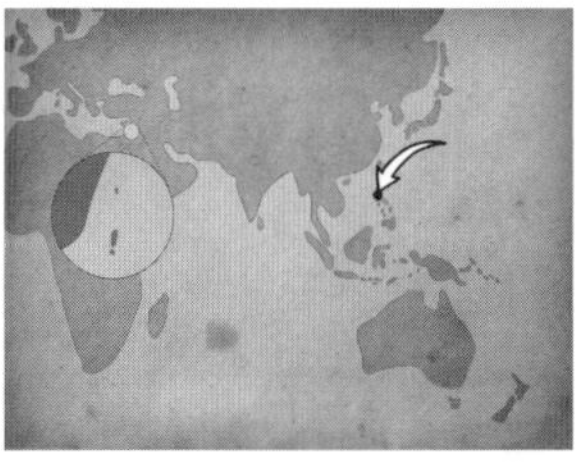

　七年ぶりに、マニラの北ノヴァリジェスで古い友人と再会した。エヴェリン・カスタニエダ。お互い二十代の頃、ルソン島北部のイサベラ州で知り合った。私立中学の教員だった彼女は、同州で活動する日本人のシスターと出会い、奨学金を得てマニラの名門大学の大学院を修了し、その後、修道会に入会しシスターになった。しかし、父親の死、三人の妹、四人の弟それぞれの深刻な問題が長女の肩にのしかかり、十一年に及ぶ修道生活を断念する。

　退会後、インド人が経営する純イギリス式インタナショナルスクールの教員の口を得た彼女は、タイのバンコクに移住。欧米人中心の教職員体制の下、差別、区別を繰り返し受けながらも、十年後、教頭に就任する。しかし、フィリピンに残した二人の弟が大きな問題を起こし、ひとりは死亡、ひとりはリハビリが必要な状況に陥ってしまう。唯一、三番目の弟エドウィンだけが小さなビジネスで成功し、ノヴァリジェスに家付きの土地を購入する。エドウィンは、近隣の多くの若い夫婦が子どもの教育で頭を痛めていることに着目し、少人数制の学校設立をエヴェリンに提案。一時帰国した彼女は、購入した家が教育の場として全く適していないことに心を痛め、仕送りとは別に彼女が十四年間生活費を切り詰めてバンコクで貯めていた四十万バーツ（約一二〇万円）の全てを改装工事につぎ込むことになる。こうして、五年前、校長エヴェリンの下、「ウォルシンガム聖母スクール」が誕生する。

ウォルシンガムとは、イギリス・ノーフォークのある村の名前で、一〇六一年、ひとりの貴婦人の前に聖母マリアが現れ、〝聖家族の家〟を建てるようにと告げる。貴婦人は、それを実行し、現在に至るまでこの地はイギリス屈指の巡礼地となる。十数年前、エヴェリンは、バンコクの同僚とこの地を訪れ、「人生のあり方が変わるほどの感銘を受けた」と話している。「ウォルシンガムのマリア様に助けられて今の私がある。だから、学校をはじめる時、直ぐにこの名前を付けようと思った」と。

九月中旬、私は、念願叶ってこの小さな学校を訪問した。七名の幼稚園児からはじまったこの学校は、現在、小学四年生までのクラスに八十六名の生徒が通っている。障がいを持つ子、両親が海外に出稼ぎに行ったきりでおばあちゃんに育てられている子、お父さんが消えてしまった子、両親と共に出稼ぎから戻ってきたばかりの子と様々である。そんな子どもたちの写真を何枚か撮って、私はフェイスブックにあげた。直ぐに、日本の友人たちから反応があった。「なんて輝いている瞳とお顔」、「みんな愛されているのですね」。正に、この子たちは、複雑な環境の中におかれていながらも〝愛されている〟のだと私は思った。

永い付き合いになったエヴェリン

〝一番大切なことが伝わる学校〟を創りたいというこの家族の思いが、具現化した。別れ際、「よくやったね」と一言いおうとした私は、イサベラ州で出会って以来、この家族が背負い続けてきた泥沼のような日々を思い出し、何も言葉にならないままエネルギーいっぱいのこの小さな学校を後にした。

元気いっぱいの「ウォルシンガム聖母スクール」新１年生とともに

2018年11月号掲載

ランビアン山の麓に暮らすラック族と出会って

ベトナム社会主義共和国（ダラット）　Socialist Republic of Viet Nam

年間を通じて最高気温二五℃前後、夏の軽井沢とよく似た心地のよい空気が漂う、ベトナム屈指の避暑地ダラット。一八五八年、フランス人宣教師の保護を名目として、ナポレオンⅢ世がベトナム中部ダナンに派兵した後、フランスは、当時ベトナムの宗主国だった清国を巧みに戦争へと引きずり込んでいく。清仏戦争で敗北した清国は、宗主権放棄を余儀なくされ、フランスがベトナム全域を保護下に置き、似たような手口で隣国カンボジアとラオスをも手中におさめ、一八八七年、フランス領インドシナ（仏印）が成立する。

一八九三年、仏印下のダラットを、ある医師が訪問する。パリのパスツール研究所に勤務していたスイス系フランス人、アレクサンドル・イェルサンである。北里柴三郎と同時期にペスト菌を発見したイェルサンは、ダラットの気候に目を付け、マラリアの特効薬キニーネの原料キナとゴムの栽培をこの地で開始する。ダラット開発は進み、快適な気候を好むフランス人貴族や将校が増えると、土地の獲得などを巡って先住民族との接触がはじまる。最初にフランス人と接した民族が、ラック族である。

人口の約八十六％を占めるいわゆるベトナム人〝キン族〟以外に、ベトナムには五十三の少数民族が存在する。数万人規模の民族から三百人前後の極少民族まで様々で、ダラット近郊にはコーホー、チュルー、モーノン、エデ、ラックなどが暮らしている。当時、トラブルを嫌ったラック族は、ダラットから十二キロ北に聳えるランビアン山の麓への移住をフランス人から提案されそれを承諾、代償に発電所と高等教育の恩恵を受けることになる。教育を受けたラック族から医師やエンジニア、兵士などが生まれ、集落の生活は豊かになっていく。しかし一九七五年、共産政権が南北統一を果たすと、これまでフランスやアメリカに協力的だった少数民族に対する弾圧がはじまり、ラック族も遠い山岳地帯に追い払われ、約七百人のエリートたちが殺害されたと考えられている。

　数か月前、ランビアン山の麓にあるラック族の集落を訪ね、リーダーのひとりシン・ヨシ神父に話を聞いた。「ダラットは、元々ラック族の土地でした。一九七五年以降、政府は私たちの歴史書や文書を全て没収し、焼却してしまいました。記録は、なにひとつ残っていません。約一万人のラック族の全てがここに集められ、国内唯一の集落になっています。今抱えている一番の問題は、子どもたちにどうやって自分たちの言語や文化を教えていくかということです。学校や保育園では、ベトナム語以外使うことができません。教会は唯一の教育の場ですが、充分とはいえないのです」。

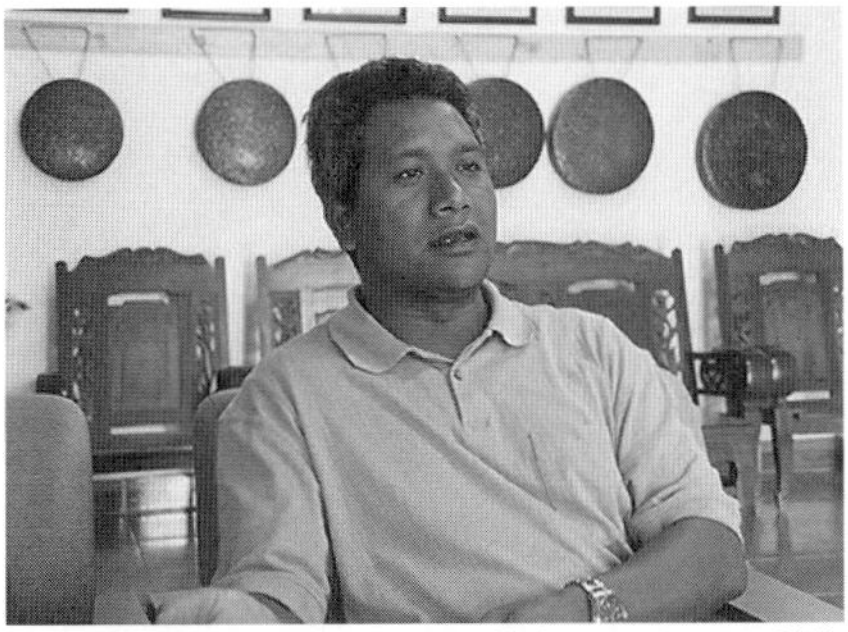
ラック族が抱える問題について熱く語るシン・ヨシ神父

　ユネスコは、約三千の言語が現在「危機に瀕する言語」としている。ラック語は、正にそのひとつである。その原因は、支配する民族の少数派に対する無関心と繊細さの欠如にあるといえる。外国人労働者のさらなる受け入れを模索する今、日本人がしっかりと少数派の立場を理解し、広い心で受け入れようとしているのかどうか、ラック族から厳しく問われたような気がしたのである。

牧場の向こうにランビアン山を望む

2018年12月号掲載

インドネシア共和国（スマラン）　Republic of Indonesia

港街スマランで知った知られざる出来事

"持続可能な開発目標（SDGs）"の実践を手がけてきた私たちは、長年のパートナーであるスンバワ島ドンプ県の女性リーダー六名と共に、インドネシアの伝統的薬草学"ジャムウ"を学ぶためジャワ島中部の港街スマランを訪ねた。

重厚な白い建物がたち並ぶ旧市街は、オランダ植民地時代を彷彿とさせる。十七世紀、スペインから独立するため資金を必要としていたオランダは、国内の事業家たちを束ね連合東インド会社（VOC）を設立。一六一九年、ジャワ島西部のバタヴィア（現在のジャカルタ）に拠点を築くと、カルダモン、シナモン、グローブ、ナツメグなどの原産地モルッカ諸島（現在のマルク諸島）の争奪戦に勝ちイギリス、ポルトガルを追い出して二〇世紀までに、広大な蘭領東インドを形成する。その中央に位置するスマランは、鉄道網の中心地であり、ヨーロッパへの出航地だった。

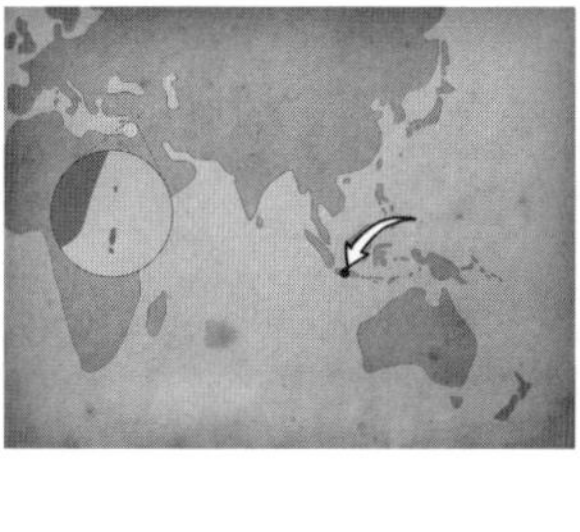

一九四一年、太平洋戦争が勃発すると、豊富な資源を有する蘭領東インドは、日本軍の占領下におかれる。日本軍は、現地の青年を集め郷土防衛義勇軍や兵補（補助兵）を組織し、後のインドネシア軍の布石とするが、敗戦時、大きな戦闘もないまま二十三万人以上の日本軍が残留することになる。八月十七日、日本の協力も得たスカルノは独立を宣言し、全土に独立の機運が高まっていく。一方、日本軍の武装解除は進まず、連合軍は地域

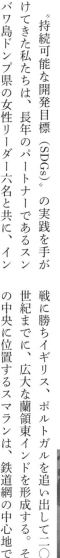

によって日本軍に治安維持を任せたのである。しかし、帰還してくるオランダ軍に備えたい独立派は、日本軍に武器の提供を迫り、状況は複雑化する。

十月三日、スマランの日本軍も独立派から武器の引き渡しを再三要求されたものの、連合軍の命令に忠実だった日本軍の司令官は、これを頑なに拒否。憤慨した独立派が、建設中のスマラン製鉄所で働く日本人作業員や軍人約三〇〇人を拘束し、他の場所で数人が殺害される事態となる。十月十五日、司令官は、已む無く武力行使に踏み切り、五日間の戦闘でインドネシア人約二千人、日本人約二百人が命を落としたといわれている。戦後に起きた大惨事、〝スマラン事件〟である。

日本人の友人と共に、草に覆われたスマラン港の外れの空き地を車で進んだ。ゴミ捨て場と化した酷い道の途中で、「これ以上は無理」と運転手が首を振った。その時、絶妙なタイミングで小型バイクに乗った男性が現れ、「日本人の碑を探していますか」と話しかけてきた。正に、その通りだった。

簡単な値段交渉の末、先ず私が彼の後ろに乗って細い泥道を進んだ。叢の向こうにコンテナ船が数隻見えた頃、「あった」、私は感激の声を上げた。「鎮魂の碑」。「国有鉄道関係者」、「王子製紙関係者」、「マゲラン憲兵隊」、「ブルー刑務所」などと記され、全殉難者の名前が刻まれている。あとから二人の友人も到着し、私たちは手を合わせた。「戦争は、終わっていたのに」。そう思うといたたまれなくなった。帰り際、バイクの後ろから彼に尋ねた。「日本人は、よく来るの」。「週末には何人か乗せますよ」。ごみと波の狭間に佇む「鎮魂の碑」を思い、「流されてしまわなければいいが」と心配しながら、私たちのスマラン最終日は暮れていった。

波打ち際に佇む鎮魂の碑

長いオランダ統治時代を彷彿とさせる白い建物

2019年1月号掲載

中華人民共和国（青島） People's Republic of China

青島からのクリスマスプレゼント

先月のクリスマス直前、日本在住十一年のドイツ人の友人にぱったりと会った。「一年ぶりに、また会ったね。時間が経つのは速いね」。と話すと、彼が答えた。「日本にいると、特に時間が速く過ぎますよ。全ての動きが、速いからかな」確かに、日本人とドイツ人の時間の使い方は違うと、私も思った。

四年前の十二月、私は中国の青島《チンタオ》に行った。「ここは、ヨーロッパ？」と錯覚するほどドイツ的な街並みを観て、ドイツ好きの私は感動した。植民地獲得競争に出遅れたドイツは、一八九七年、山東省曹州でドイツ人司祭二人が殺害されるとドイツ東洋艦隊を膠澳《こうしゅう》に派遣し、清国兵を追い払って膠州湾を占拠する。翌年には「独清条約」を強要し、膠州湾を囲む半島部分の九九年間租借と山東省内の鉄道敷設権、鉱山の採掘権を獲得。その後、外務省の管轄ではなく海軍省の下、東洋艦隊の母港と病院、学校を建設し、街路樹や上下水道を完備したドイツ風植民地モデル〝青島〟を築きあげていくことになる。

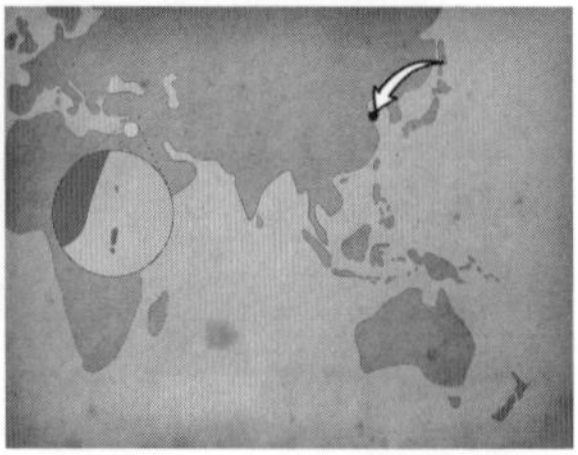

しかし、一九一四年、第一次世界大戦がはじまると、日英同盟の下、日本軍が青島を総攻撃しドイツ軍は降伏。四千七百人以上のドイツ軍捕虜が、日本各地の収容所に送られ、ドイツパンや菓子、ハム、ソーセージの製造法、西洋楽器の演奏法を伝えたことは良く知られている。終戦後、パリ講和

会議でドイツが持っていた山東省に於ける全権を日本へ移譲することになるが、住民の強い反発により日本はこれを断念。一九三八年、日中戦争勃発以降、青島と山東省全域を日本は、掌握することになる。

旧市街に聳え立つ聖ミカエル大聖堂を訪ねた。一八八二年、ドイツ人宣教師が山東省に入り、一九二五年には一〇万人を越えるカトリック信徒がいたと記録にある。その後、中国の政情は悪化し、ドイツ本国ではヒットラー政権が誕生するなど極めて困難な時代を堪えながら、一九三四年、二四〇〇本から成るパイプオルガンを備えた聖ミカエル大聖堂は完成する。しかし、一九四五年、日本は敗戦し、共産党支配が青島にも及ぶと、キリスト教への弾圧が激化する。ドイツ人のアウグスチン・アルベルト司教は逮捕され、文革中には紅衛兵が、聖ミカエル大聖堂内のパイプオルガンや聖像を徹底的に破壊することになる。しかし二〇〇五年、旧市街で水道工事が行われた際、土の中から紅衛兵が持ち去ったはずの大聖堂内陣に置かれていたドイツ製の大十字架が発見されたのである。この出来事は、青島市民と教会を勇気づけ、今では一万人を超えるカトリック信者が青島に戻ってきたと聞いて、私はまた感動した。

青島ビールを楽しむドイツ軍水兵たち（1911年）

日本に帰国後、私はクリスマス前の日曜日、カトリック雪ノ下教会で、青島での二つの感動について話をした。するとミサ後、九三歳のあるご婦人が私のところに来て囁かれた。「神父さま、今日のお話とても懐かしかった。私はね、あの大聖堂ができていくのを毎朝眺めながら女学校に通っていたんですよ」。

この感動は、強烈過ぎて言葉にならなかった。ただ、「神様とドイツ人からのクリスマスプレゼントなんだ」と思うのが、やっとだった。

旧市街にそびえ立つ聖ミカエル大聖堂

2019年2月号掲載

トルコ共和国（イスタンブール）　Republic of Turkey

マンドゥを抓みながら、アジア最西端の友と語る

鎌倉駅周辺で食事をした後、「最後にもう一杯」と立ち寄りたくなる店がある。小町通りの入り口右のビルの上にあるトルコ料理〝エーゲ〟。オーナーは、バリシュ・カラアスランさん、エーゲ海に面したトルコ第三の都市イズミールの出身で、日本人の奥さんとはバングラデシュで出会い、四年前に来日。今は、トルコ人のコックさんと二人で、レストランを切り盛りしている。

　私の定番のつまみは〝マンドゥ〟、トルコ産の白ワイン、チャンカヤと相性が良い。マンドゥは、〝饅頭〟と同じ語源で、中国東北地方やモンゴル、中央アジアからコーカサス地方へと広がる大水餃子文化圏の一角を占める。ひき肉や野菜、チーズなどをパスタ生地に挟んで切り分けたイタリア料理ラビオリを別物と括れば、その最西端がこのマンドゥで、茹で上げた上にたっぷりヨーグルトをかけるのが特徴である。

　十数年前、アジアとヨーロッパの交差点イスタンブールの路地裏で日露戦争の話に花が咲いたと、私はバリシュさんに話した。「小国日本が、大国ロシアに圧勝したことで、当時、ロシアの脅威にさらされていたトルコが元気をもらった」という内容である。しかし、彼の反応は、素っ気ない。「その話は、良く知りません。でも、エルトゥールル号と日本人のテヘラン脱出劇は、大抵のトルコ人が知っていますよ」。世代の違いかなと、私は思っ

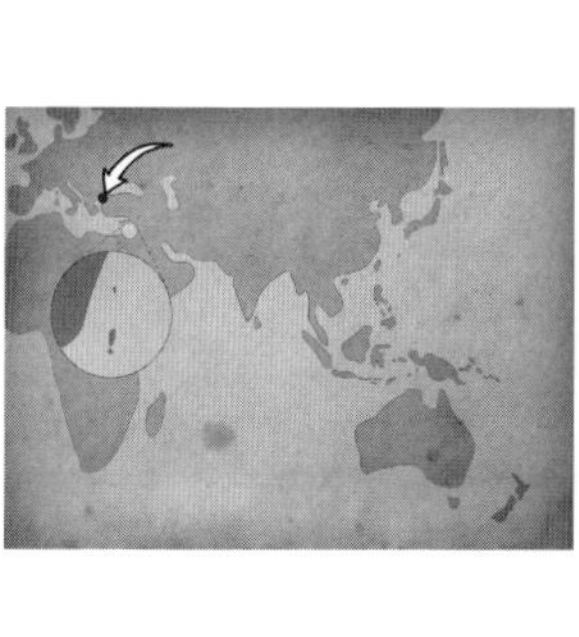

た。

一八九〇（明治二十三）年六月、オスマン・トルコ帝国のムスタファ大尉以下六百名が親善使節団としてエルトゥールル号で来日、明治天皇への謁見を果たす。そして九月、帰国のため、同号は横浜を出港。しかし、紀伊半島沖で強烈な台風に遭遇して座礁、水蒸気爆発の末、沈没してしまう。凄まじい台風の中、和歌山県串本の村人たちは懸命な救援活動を行い、五八七名の死亡・行方不明者を出しながらも、六九名の命を救ったのである。

それから約一〇〇年、一九八五年にイラン・イラク戦争が激化しサダム・フセイン大統領が「四〇時間をタイムリミットに、戦争終結までの間イラン上空を飛ぶ航空機は軍用機であれ民間航空機であれ、国籍を問わず全て撃墜する」と布告。イラン在住の外国人たちは、各国航空機で脱出を開始する。しかし、日本航空と自衛隊は、救援機派遣を躊躇したため、子どもを含む日本人二一六名がテヘラン空港に取り残されてしまう。この危機を救ったのが、トルコだった。トルコの首相トゥルグト・オザル氏の要請で飛来したトルコ航空機は、二一六名全員を乗せタイムリミットの僅か一時間十五分前イラン領空の外に脱したのである。二〇一五年製作の映画〝海難一八九〇〟では、この二つの事件を上手く組み合わせて仕上げていて、私はひどく感動した覚えがある。

ヨーグルトたっぷりのマンドゥ

「トルコ人は、日本人を尊敬していますよ。日本製品の評価も、とても高いです」。「でも……日本は島国だなぁと思うことがありますね」。都合の良いところだけ抓み食いして、グローバルな気になっているアジア最東端の私たちが、多種多様な民族と文化に揉まれ続けてきたアジア最西端の友から学ぶことは多い。マンドゥを味わいながらそんな思いを巡らしていると、バリシュさんとのひと時はアッという間に過ぎていった。

ターキッシュエアラインの機上からイスタンブールを望む

2019年3月号掲載

パラオ共和国（コロール州）　Republic of Palau

ゴミと戦争を教えた日本人

「ゴミ、ゴミはこっち」。朝の挨拶を交わした途端、ワインの空きビンと紙くずの入ったビニール袋を持って入ってきた私に、司祭館を仕切るマルタがそう言った。半年ぶりのパラオ。友人二人と五人の女子高生を連れての、〝春休み体験学習ツアー〟である。七人は、それぞれホームステイ先に泊まっていたため、教会の司祭館に隣接する二階建ての空き家を独り占めしていた私は、朝食後、のんびりとゴミ捨てに行ったところだった。

　現代パラオ語には、日本語からの借用語が約五百語確認されている。ビールを飲むことを〝ツカレナオス〟、美味しいは、〝アジダイジョウブ〟、〝モンダイナイ〟、〝アタマサビル（頭が混乱している）〟、そして〝チチバンド（ブラジャー）〟と多少ニュアンスが変化したものも含めて興味深い。しかし、〝ゴミ〟というパラオ語に、今まで気づかなかった私は、少々恥じ入る気持ちになった。

「ゴミという言葉は、元々パラオになかったの？」。私は、友人のラスク・サブロー（三郎）神父に、尋ねた。「ウルガルという言葉がある。魚や鶏の骨、果物や野菜の皮などを表すときに使う」。正に、〝生ゴミ〟の類である。それ以外の廃棄物は、日本統治時代以降に出はじめたと解釈すれば良いのだろうか。ＳＤＧｓ（持続可能な活動目標）に特化して浮遊ゴミに対処するプログラムをインドネシアの離島で実施している私は、ＪＩＣＡ（国

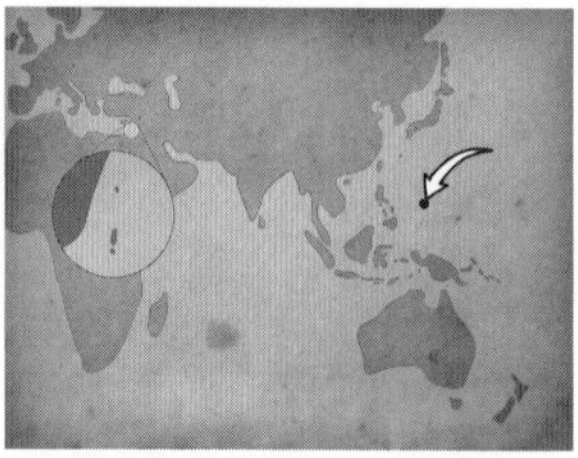

際協力機構）のテコ入れで開設されたパラオ、コロール州立廃棄物処理場の存在を知り、高校生たちと訪ねた。

「ゴミは、軽量化するのが基本です。有機廃棄物は分解させ、ガスとコンポスト（ゴミを発酵させて作った堆肥）にします。高分子で分解できないプラスチックは、油化装置を使って燃料にします。溶かさなければならないガラス類のために、そのガスや燃料を利用すれば一石二鳥、いや三鳥なんです。溶かしたガラスは、ベラウ（パラオ）エコグラスと名付けるＳＤＧｓに則した新工芸品として世界にアピールしていこうと考えています」。退職後、この画期的な事業に取り組んでこられた日本人エンジニア藤勝雄さんの解説に、私たちはみな釘付けになった。

その数日前、一八〇馬力のヤマハエンジンを付けたモーターボートでコバルトグリーンの海と世界複合遺産ロックアイランド群をぬけて、私たちはペリリュー島へ渡った。日本軍守備隊一万一千人のほぼ全員が戦死し、米軍も一万人を超える死傷者を出したペリリュー島。廃墟と化した日本軍の司令部跡や撃破された戦車、零戦などを、今も目の当たりにすることができる。

コロール州立廃棄物処理場で熱く語ってくださった藤さん

お昼に〝ベントウ〟を食べたオレンジビーチの名は、上陸してきた米兵を日本軍が砂浜で撃退し、海一面が血に染まったことに由来している。

日本と特別な関係にあるパラオ。戦争の傷跡や日本語を流暢に話すお年寄りとの出会い。多くの豊かな体験を、高校生たちが最終日に分かち合ってくれた。その中に、全員の口から出たある言葉があった。「こんな美しいところで、戦争をしちゃだめだと思いました」。感じてほしいと思っていたパラオを、彼女たちがしっかりと感じてくれた。それが、一番嬉しかった。

美しすぎるパラオの海

2019年5月号掲載

シエラマドレからの叫び

フィリピン共和国（イサベラ州）　Republic of the Philippines

三十年来毎年続けてきたフィリピン、ルソン島北部イサベラ州での公開歯科診療の打ち合わせのため二泊三日で、私は同州を訪問した。打ち合わせは順調に運び、二日目の半日が空き、少々遠出をすることになった。「シエラマドレに行きましょう」というＣＢＨＤＰ（コミュニティーベース保健開発プログラム）の責任者でベテラン看護師ルック・バウチスタの提案に、皆賛成した。

ルソン島の太平洋側を南北に約六八〇キロ走るシエラマドレ山脈は、フィリピン最後の原生林である。特に、山脈の幅が厚いイサベラ州内は、州都イラガンから太平洋側へのアクセスも一切ない。人口一万七千二百六十人を有する太平洋側最大の町パラナンや人口五千人前後のマコナコン、ディビラカン、ディナピギといった町々も、生活必需品の全てを北部のカガヤン州や南部のケソン州からのボート輸送に頼っている。

ある友人が、言っていた。「イラガンからパラナンまで歩くと、寝袋と食料を担いで三泊四日はかかります」。三十数年前、木材会社が所有する四人乗りのセスナで、私はパラナンに行ったことがある。上空から見下ろす大密林の深緑と白い滝がいくつか見えたのを思い出す。当時、マルコス独裁政権下のシエラマドレには、共産党系ゲリラＮＰＡ（新人民軍）が山中に拠点をおき、政府軍との衝突が頻繁に起きていた。また、軍幹部が木々を

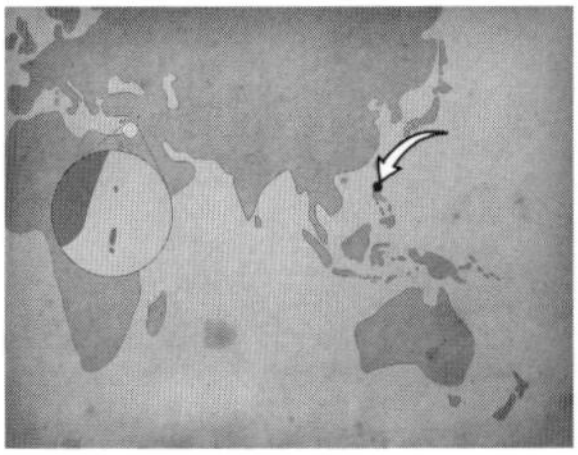

違法に伐採している噂も、よく耳にした。さらに、太平洋戦争末期、米軍の空からの攻撃を逃れ、食料を探しながら山中に入り込んだ日本兵数万人が、餓死したところとしても知られていた。

　このシエラマドレに、最近異変が起きた。二〇一六年、反対派を押し切ってイサベラ州知事が、イラガン・パラナン間にシエラマドレ・ハイウェー建設を開始したのである。巨木がなぎ倒され、森と共に暮らしてきた先住民アイタ族が、強制的に移動させられるようになった。現在、全行程約八五キロの内、約六〇キロが開通し、今回、舗装済の約二〇キロと未舗装の三五キロの急勾配を二時間半、大雨で土砂崩れを起こし行止りになっている五五キロ地点まで上った。道中、原生林の中から白煙が上がり、住民がいるはずのないところで焼き畑が行われている現場を目の当たりにした。伐採された大木が、整然と並べられているところもあり、酷過ぎる違法行為に私たちは唖然とした。「五月十三日の下院議員選並びに統一地方選までは、やりたい放題なんです」。「選挙直前の票取りのため、違法行為の取り締まりを政治家たちはやりたくない」。ルックの言葉は、絶望的だった。

伐採された大木

　二〇〇六年、シエラマドレは、〝北部シエラマドレ自然公園〟としてユネスコ世界遺産の暫定リストに加えられた。しかし、認定どころか、原生林が最早危ない。車を降りて、東の方角を見渡すと、環礁に白波が立つ真っ青な太平洋が見えて、私は思わず叫んだ。「海」。あの同じ海を目指して山中をさ迷い、倒れていった何万人もの日本兵の無念が伝わって来た。そして今、シエラマドレが受けている新たな苦痛も重なって、私の目頭が、何とも言えずただ熱くなった。

55キロ地点の向こうに太平洋が見えた

2019年6月号掲載

インドネシア共和国（カリマンタン島）　Republic of Indonesia

私たちの無関心が地球を滅ぼしていく

「明日はオートバイで奥地に入りますが、大丈夫ですよね」。ゴムの苗木（パラゴムノキ）の援助を依頼された私は、友人イグナシオ・マデにそう尋ねられた。世界で三番目に大きな島ボルネオ島のインドネシア領西カリマンタン州の州都ポンティアナックから車で六時間、夕暮れ時のシンパンドゥアという村でのことである。赤道直下カプアス川とランダッ川の合流地点に位置する人口四十五万の大都市ポンティアナックからシンタンに向かってカプアス川を上る東ルートは観光客で賑わっている。しかし、私たちが進んだクタパンへ向かう南ルートに観光客の姿はない。元々この辺りは、カリマンタンの先住民ダヤック人の大家族が高床式のロングハウス（長屋）ラミンで暮らしてきた深い森林地帯だった。しかし長年森の乱伐が進み、今では地元の華僑やジャカルタの金持ちがゴム園やパーム油の原料となるアブラヤシの農園を造成し、ダヤック人のほとんどは農園の労働者になってしまった。これに反発するイグナシオのような少数派は、奥地に土地の使用権を取得し、ゴム園ではなくゴムの木を自然林の中に植えて融合させようと試みている。

「そんなに遠くないから」。イグナシオの言葉を信じ、水分をたっぷり含んだラテライト（赤土）のドロドロ道を、私たちは十台のオートバイを連ねてバライ・スマンダンと呼ばれる集落に向かった。

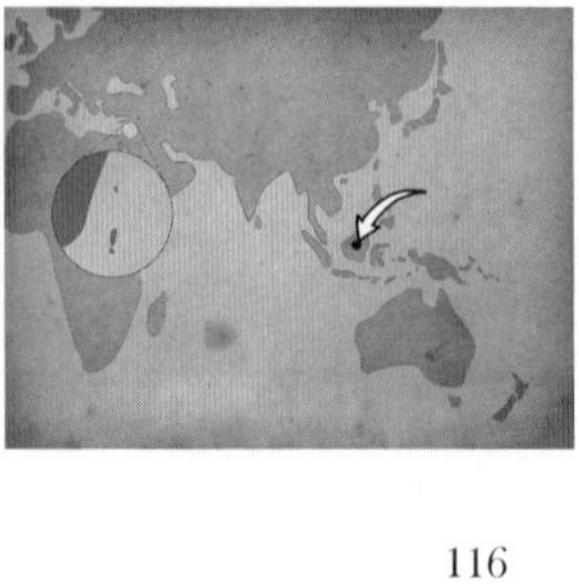

すさまじい下り坂と上り坂を何十回と越え、泥道の中で後輪を滑らせながら進むこと〝二時間半〟、何とか目的地に着いた。「よくも、こんな奥地に土地を見つけたものだ」と感心する反面、走って来た道のいたるところにアブラヤシが植えられている状況を目の当たりにして、私は言葉を失った。緑の植物が育っているとはいえ、どう見ても凄まじい森林破壊である。

　世界最大のパーム油生産国インドネシアは、世界で生産されるパーム油の四十五%に当たる三千五百万トンを生産し、三百万人以上のアブラヤシ農園労働者が従事している。一九九〇年、千五百万トンだった世界のパーム油消費量は、二〇一五年に六千百万トンにまで跳ね上がっている。他の油糧作物に比べて半分の農地で済むという生産性の高さが、最大の魅力のようだ。パンやチョコレート、アイスクリーム、スナック菓子、洗剤、シャンプー、口紅など、スーパーに並ぶ食品や日用品のほぼ半数にパーム油が使われているといわれている。「二〇〇〇年以降、ボルネオ島では、アブラヤシを植えるため、毎日どこかで森林が焼き払われています。ボルネオのオランウータンも、一九九九年から二〇一五年までに十五万頭減少したと専門家は見ています。作る責任と共に、使う責任が問われているのです」。イグナシオの怒りは、おさまるところを知らない。

どこまでも続く急勾配

　貧富の格差と共に意識の格差が広がる今、最大の問題は先進国内に蔓延する〝無関心のグローバル化〟だと私は思う。「自分は、なにも悪くない。真面目に生きています」。大自然が生命をかけて訴えていても、〝ひとごと感覚〟の強い私たちには見えず聞こえない現実を、カリマンタンの山中で、私はまた実感したのである。

一面に広がるアブラヤシ

2019年7月号掲載

ロシア連邦（ウラジオストク） Russian Federation

日本から一番ちかいヨーロッパの街

G20大阪が開催されていた数日間、幾つもの進展が見える中、日ロ関係の歯切れの悪さが印象に残った。「先ずは〝信頼関係〟を築くことから」。プーチン大統領の指摘に、私は一理あると思った。「ロシアは、不気味で信用できない国だから……」。突然の満州侵攻や八月十五日以降に起きた北方領土占拠。シベリア抑留や千島列島旧島民を思う度に、日本人のロシアに対すイメージがネガティブになり、消すことはできない。そんな思いを胸に、私は〝日本から一番近いヨーロッパの街〟といわれるウラジオストクを訪ねた。ソビエト体制が崩壊し、混乱する一九九〇年代半ば、社会から見捨てられた老人や若者、先住民族のための小さな支援活動をアメリカの人道援助団体と共にはじめ、私たちは十年間極東ロシアを巡り歩いた。あれから十五年、ロシアの友人を訪ねる今年二度目のウラジオストク訪問である。

当時、セントラルヒーティングを止められて零下三十度の極寒の中、団地の片隅でかき集めたベニヤ板や枝を燃やして暖を取るひとり暮らしの老婆の姿に衝撃を受けた。アルコールや麻薬、中絶と離婚の問題は、十代の若者の間で深刻だった。大海の一滴に過ぎない小さなプロジェクトをハバロフスク、サハリン（樺太）、マガダンなどで実施したが、その出発点はいつもウラジオストクだった。

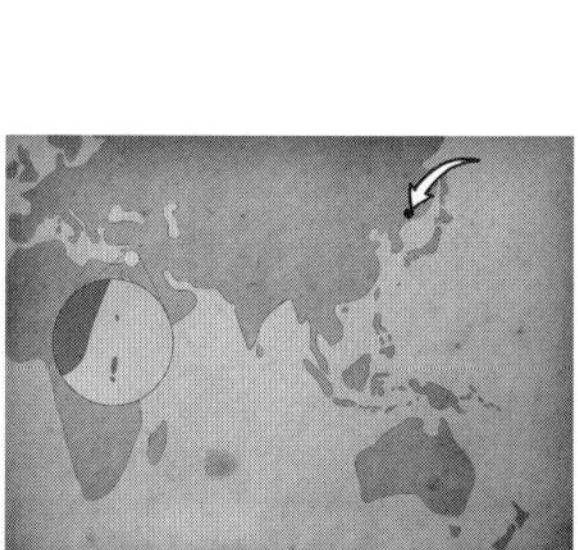

一八六〇年、ロシアは、弱体化していた清国に

圧力をかけ、この土地に軍港都市を建設する。一八五五年、日露和親条約が既に締結され、ロシア船の日本来航も多かったため、ウラジオストクに渡航する日本人も次第に増え、一八七六年、日本貿易事務所、後の在ウラジオストク領事館が開設される。一九一七年のロシア革命直後、ウラジオストクの在留邦人は六千人を超えたと記録にある。「日本人が、ポーランド系の子どもたちをたくさん助けました」。極東史を研究しているタチアナさんが、街から十六キロ離れた森の中で歴史のひとこまを話してくれた。一九一九年、反革命派を支援する名目で日本やアメリカを中心にシベリア出兵がはじまる。しかし、内政干渉と批判を受けた連合国軍は次第に撤退し、利権獲得を企む日本軍だけが駐留を続け、泥沼の戦いへと巻き込まれていく。「一九一九年、反革命派と見なされたポーランド系住民約五千人の虐殺が、シベリア鉄道沿線ではじまります。親を失った子どもたちが、駅に放置され、この子たちを救ったのは、日本人でした。特に、約九百人は日本に送られ、そこから欧米の里親へと引き取られていきました。日本人のおかげで子どもたちは助かったのです」。

虐殺現場で語るタチアナさん

「ロシア革命以降、スターリンによる大粛清も含め、ロシア人は本当に辛い時代を生きてきました。ポーランド系の子どもたちが助けられてから、今年で丁度百年。知られていない日ロの史実は、まだまだたくさんあります。もっと学び合えたら良いと思います」。楽しそうに語るタチアナさんの姿を見ながら、正にこれこそ〝信頼関係〟を築く時間だと実感した。長い日ロの関係を理解するために、僅か一時間四十分で行くことのできるこの街の存在は、とても貴重である。

極東ロシアの不凍港ウラジオストク

2019年8月号掲載

インド（タミルナドゥ州ベランカニ）　India

差別されてもしっかりと立つ眩しい女性たち

新春恒例のウィーン・フィルハーモニー管弦楽団ニューイヤーコンサートのクライマックス。例年、会場全体が元気な手拍子で盛り上がるラデツキー行進曲が演奏される頃合いに、指揮者ロリン・マゼールが、異例のコメントを発した。「数日前に起きたスマトラ沖地震による被災者に配慮して、ラデツキー行進曲は今回演奏しないことにいたします」。あのことばは、印象的だった。二〇〇四年十二月二十六日、インドネシア西部スマトラ島沖で発生したマグニチュード九・一の大地震は、大津波を引き起こし、インドネシアからタイ、ミャンマー、スリランカ、インドの海岸線を襲い、約二十二万人の命を奪った。あれから十五年、インドで最も犠牲者の多かった南東部タミルナドゥ州のベランカニ周辺で、私は二年前から支援活動をはじめた。

十六世紀、ベランカニの沖合で嵐に巻き込まれたポルトガル船の前に、聖母マリアが出現し船を陸地へと導いたといういい伝えが残るこの地は、インド有数のキリスト教巡礼地である。二〇〇四年、クリスマスを祝う大勢の巡礼者が、海岸に集まっていた。その翌朝、大津波が襲ったのである。

「あの日、多くの女性が、夫を失いました。この地域には、未亡人に対する強い差別があり、多くの女性が苦しんでいます。未亡人は、不幸をもたらす存在と考えられ、一日の初めに未亡人の姿を見

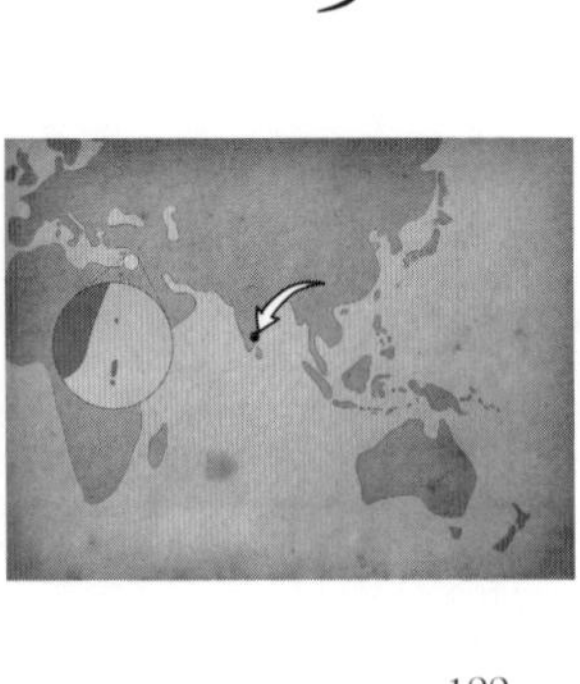

ることを皆嫌います。そのため、彼女たちは、朝の外出や公共トイレに行くことを躊躇します。また、結婚式などの祝い事への出席も、実の兄弟姉妹から拒まれ、寂しい思いをしています」。様々な理由で夫を失った女性たちの支援を続けてきたクナンダイ神父の表情は、いつも厳しい。

「あの日、ベランカニ周辺だけで約八千人が亡くなり、多くが未亡人になりました。それ以降も、死別や夫に捨てられた女性などタミルナドゥ州に約二百四十万人、ここナガパッティナム郡だけでも二十万人の女性が、差別の対象となっています。耐えられず、自殺するひとも少なくありません」。クナンダイ神父と私は、日本からの資金を活用してマイクロファイナンス（小規模金融）を立ち上げた。女性一人当たり五千ルピ（約七千八百円）を上限に、無利子で貸し付け、自立のための小ビジネスの拡大を手助けしている。

今回、支援している約千七百人のメンバーの内の数人に集まって貰い、話を聞いた。ルス・ネサマニさん四十五歳。「私は今、巡礼者が集まる砂浜で果物を絞ってジュースにして売っています。津波で夫を亡くし、二人の息子と途方に暮れていました。ひとりの息子は、障がいを持っています。二年前、マイクロファイナンスでクーラーボックスを買わせて貰い、果物がたくさん保存できるようになって毎日三百杯以上のジュースを売れるようになりました。障がい者の息子も屋台を押して、手伝ってくれています」。サリーの行商をはじめたラリタさん五十五歳も、元気よく話していた。「一日百五十枚前後のサリーを売り歩いています。差別されても自信をもって村々を回ります。仲間ができたので、がんばれるようになりました。助けてくださって本当にありがとう」。合掌しながら私に謝意を表すひとりひとりの女性が、眩しく輝いていた。

クナンダイ神父（右）とネサマニさん（左）

15年前大津波が襲ったベランカニの海岸

2019年9月号掲載

イスラエル国（コラジン）　State of Israel

コラジンの岩狸

「コラジン、お前は不幸だ。ベトサイダ、お前は不幸だ」（マタイ福音書11：21）。こどもの頃、日曜日のミサで何度か耳にした言葉である。〝こら、ジン〟、誰か、悪いひとのことだと思っていた。しかし、最近、聖地巡礼と称して毎年真夏にイスラエルを訪ねるようになり、あの言葉の意味が少し分かってきた。二千年前、イエスの宣教活動の舞台は、ガリラヤ湖周辺だった。当時、ユダヤ人が行き交う街として新約聖書には、四つ記されている。マグダラ、カファルナウム、ベトサイダ、コラジン。それ以外はローマ人かギリシャ人の街で、外国人に触れると穢れると考えたユダヤ人は、イエスも含め近寄らなかった。

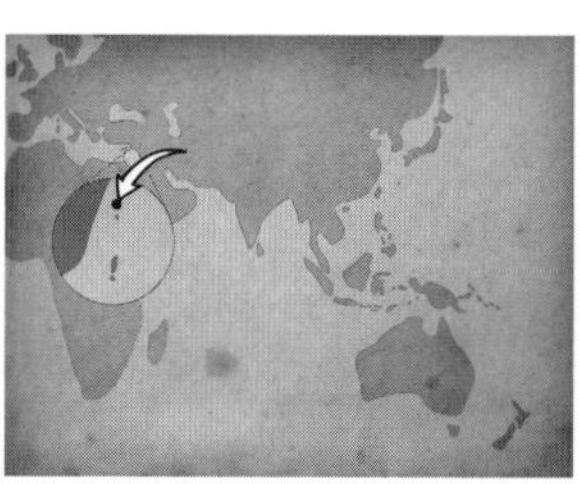

今も昔もユダヤ人の生活は、旧約聖書に示された細かい掟、〝律法〟に縛られている。その由来や本質は次第に薄れ、イエスが本質に触れて指摘や非難をすると、体制はそれに反発しイエスを磔にしてしまう。「コラジン、お前は不幸だ」、これも、その時の言葉である。

通常の巡礼コースに入らないコラジンの廃墟をどうしても巡礼参加者にみせたくて、私は例年、時間調整のし易い昼食前後の一番暑い時に、ここに立ち寄るようにしている。黒玄武岩でできた廃墟を少し歩くと、二千年前に使っていたユダヤ教の会堂〝シナゴーグ〟に辿り着く。「これです」。ガイドの西郷広暁《ひろあき》さんが、会堂内の壁を指さした。女性の顔が、彫られている。頭髪は毒蛇で、目は大きく輝き、見たものを石に変えてしまうギリシャ神話の怪物メドゥーサ。「律法で偶像を厳しく禁じているユダヤ教の会堂内に、異教の偶像が描かれているのです。ユダヤ人たちは、誰も律法を激しく破っていると気付かずに生活していました。それをイエスが指摘し、あの言葉になったと思われます」。西郷さんの説明に、皆納得した。

その時、左斜面の岩場で何かが動いた。「岩狸！」。私は、皆に知らせた。炎天下、無理してでもコラジンに来るもう一つの目的は、これである。旧約聖書に度々現れる足の速いこの小動物を見つけるのは容易くない。それでも比較的発見し易いコラジンは、私が集中して彼らを探す格好の場となっている。

〝律法〟は、食物をも細かく規定している。「反芻するもので、ひづめが割れ、完全に分かれている動物はすべて食べることができる。ただし、反芻するだけか、あるいはひづめが割れているだけのものは食べてはならない…。岩狸、これは反芻するが、ひづめが割れていないので、あなたがたには汚れたものである」（レビ記11：3－5）。らくだ、野兎、豚などと共に穢れた動物とされる岩狸。しかし、最近、私は、ある記事を見つけた。「岩狸は、常に口を動かしているので反芻動物と古代ユダヤ人は誤解したようである」。

コラジンの岩狸

誰かの思い込みが〝律法〟に取り込まれ、厳しい掟の一部となる。本質から離れ、決まりが独り歩きしても改正や廃案はままならない。そんな不正義な法律や慣習で裁かれ、苦しんでいるひとが今も世界中に溢れている。偏った情報だけで誰かにレッテルを貼り、いかにも自分はまともに生きているといった澄まし顔が、世界中で増えてきているような気がする。「〇〇、お前は不幸だ」、そういわれない生き方を心がけたい。

コラジンの廃墟に残る会堂シナゴーグ跡

2019年10月号掲載

いっぽんいっぽん、歯は神様からのプレゼント

フィリピン共和国（イサベラ州）　Republic of the Philippines

「痛いから抜いてください」。十歳のアイリーンが、訴える。「抜かなくても…。永久歯だからもったいないよ」。緒方勝也歯科医がつぶやいた。しかし、本人と母親の押しは強い。今年も、フィリピン、イサベラ州で、虫歯予防セミナーと歯科検診を組み合わせた〝デンタルミッション〟が実施された。

　歯科医師四名、歯科衛生士六名と私の総勢十一名、主力は毎年福岡からである。第一日目、早朝二時間かけて四年目となるマラボ村に到着。村民ホールの小さな部屋をアレンジして、七十四人を診た。先ず、全員虫歯予防セミナーを受け、それから必要に応じて治療、抜歯、時にはシーラント（小窩裂孔《臼歯部咬合面や頬側面などに生じるくぼみ》に樹脂をつめるう蝕《虫歯》予防処置）へと進む。対象となるのは、永久歯が生え始めた十歳から十二歳の子どもたちである。

　二日目、イサベラ州の州都イラガン市郊外に位置する北ナギリアン小学校へ行った。三回目となるこの学校で、二つの教室と渡り廊下を活用して即席のセミナールームと処置室を設置、二百十二人の子どもたちの口を、先ず緒方先生がチェックしていく。「口の中が、変わってきましたね」。私たちの影響で、昨年から同校のグラフィー校長を中心に月一回の虫歯予防セミナーがはじまっていた。「歯痛が原因で学校を休む子が、いなくなりま

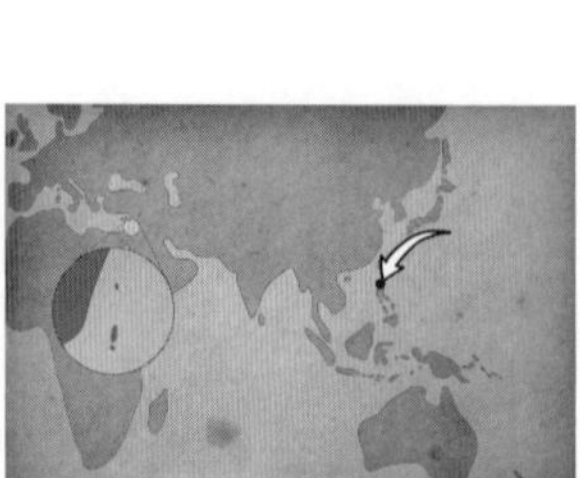

した」。校長先生が、嬉しそうに語った。

今回、四つの村で、合計五百三十人の子どもたちを診た。「子どもも親も、虫歯の原因をほとんど知りません。地元の歯医者さんは、抜歯ばかりで、歯科をしているとはいい難いです」、チームリーダーの山口真広歯科医のコメントである。

　受付の際、地元のヘルスワーカー（予防医療に関する知識を持つボランティア）を介して、子どもたちにアンケートを取った。「何人家族？」、「両親の仕事は？」、「今まで歯医者さんに行ったことはある？」。アンケートから、色々と事情が見えてきた。フィリピンでは、三回の食事以外に、午前と午後、ミリエンダと呼ばれるおやつの時間がある。ここで甘いものやソフトドリンクを口にする確率は、非常に高い。アンケートの結果、「歯ブラシ回数一日二回弱、一回の歯ブラシ二分以内」と出た。因みに日本では、一日三回、歯ブラシ時間一回五分だそうだ。歯ブラシを持っていない子、買い替えられない子もいる。下顎の六番〝第一大臼歯〟、つまり最初に生えてくる永久歯が、既に酷い虫歯のケースが目立つ。そうした子たちに、聞いてみた。「お母さんは？」、「いません。ドバイで働いています」、それ以外にも、香港、シンガポール、日本と、出稼ぎ大国フィリピンの現実が、見えてくる。勿論それ以外にも、貧困や栄養バランスの悪さ。母親の無知など様々な問題が、この子たちの歯に表れているのである。

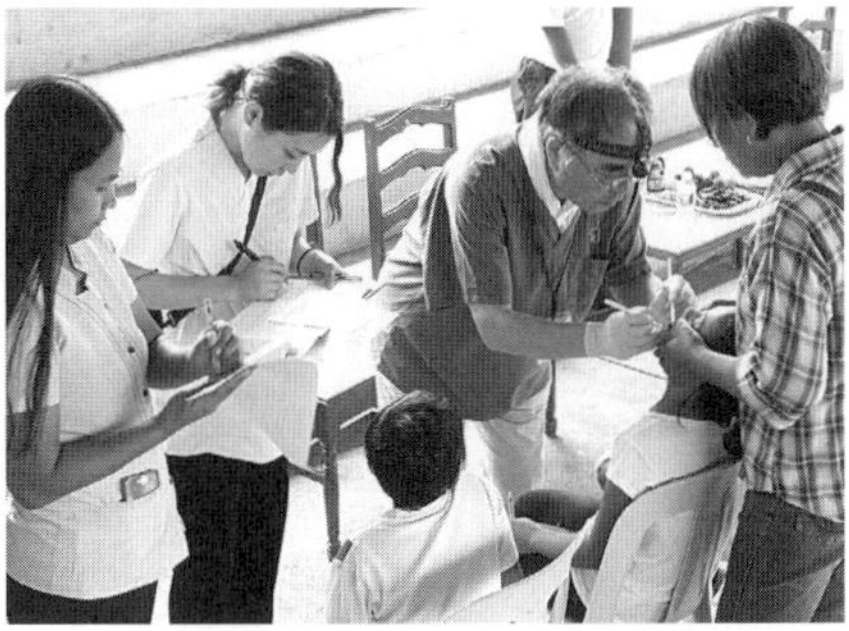
ひとまず口の中を確認する緒方歯科医

　ベテランのヘルスワーカーのひとりエレナさんが、アイリーンにいった。「いっぽんいっぽんの歯は、全部神様からのプレゼントなんだよ」。「母親も含め、それに気付いてほしいな」。抜歯せずに帰って行く母子の後ろ姿を見詰めながら、私はそう思った。

ヘルスワーカーからのアンケートに答える子どもたち

2019年11月号掲載

日本（鵠沼）Japan

あっという間にいってしまった母

去る十月の日曜日、八十八歳になった母は、私を含めた数人とワインで米寿の乾杯をした。しかし、その次の日曜日、クモ膜下出血を起こし、数時間後に帰天、あっという間だった。

通夜までの数日間、母を訪ねて親戚や友人が集まってきた。その中に、「お母さん、おばあちゃん」と悲しむベトナム人の姿があった。一九七五年四月三十日、南ベトナムが崩壊すると、共産党支配を嫌ったひとたちが自由を求め漁船で南シナ海へと脱出。〝ボートピープル〟の流出である。海上で多くの命が失われたが、運良く貨物船や大型タンカーに救われて日本の港へ着くものもいた。当時、難民条約に批准していなかった日本は、難民の受け入れ体制がなく、第三国への受け入れ申請をした後、数ヶ月、あるいは一年以上、難民キャンプで出国を待った。藤沢市内の聖園女学院の一角にも難民キャンプが開設され、常時、百人前後のベトナム人が収容されていた。大学生だった私は、キャンプに出入りするようになり、いつの頃からか週末などに私の両親も難民とかかわるようになった。

国連難民高等弁務官（ＵＮＨＣＲ）から米国、オーストラリア、カナダ、ノルウェーなど第三国への出国通達は、突然来た。数日以内に出発しなければならず、準備に急を要し、また成田空港への見送りも、私たちが手分けして行うようになっ

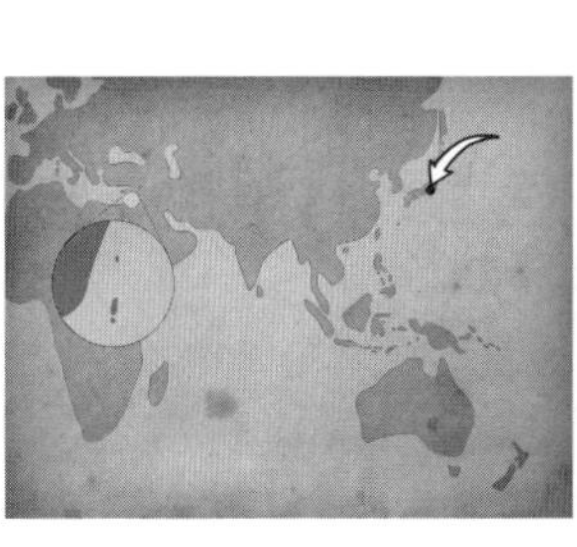

た。キャンプからの出発は午前中が多く、「ノー」と言わない母の運転回数が増え、週に数回、ある時には三日連続で、母は成田へ車を飛ばした。

八〇年代初頭、日本政府が難民条約を批准すると、日本での定住が可能となる一方、新たな課題も生じてきた。地元の小学校に通いはじめた子どもたちは、直ぐに日本語をマスターしたが、家族と教員の間のコミュニケーションは難しかった。また、病院や市役所での手続き、仕事やアパートの保証人探しも容易でなく、支援活動は多岐に渡り、いつの頃からか、母は「ベトナムのお母さん」と呼ばれるようになった。

通夜、葬儀に参列する日本人やベトナム人に紛れて、「お母さん」、「おばあちゃん」と悲しむ別のグループもあった。〝お母さんへの感謝〟と記されたカードや寄せ書きを私は受け取ったが、全てスペイン語で書かれていた。ペルーやアルゼンチンなど南米の日系人が多く、失業や病気、事故のケガなどで苦労してきた母子家庭の女性たちだった。母は、親戚や友人を通じて食料を集め、運転免許を返上する八十五歳までの十数年間、ペルー人の仲間と共に、車を運転して食料を配り続けた。

正月に４人の子どもたちが37年ぶりに
母（右から３人目）を訪ねたときの写真（2019年）

母の枕元には、英語、スペイン語、ベトナム語は勿論、ポルトガル語、タガログ語、インドネシア語、ドイツ語、ロシア語の学習書や辞書が並んでいた。ページをめくると、いたるところに鉛筆で線が引かれ、言い回しなどを調べた小さなメモもたくさん挟まっていた。引き出しの中には世界中から送られてきたベトナム人の子どもや孫、ひ孫たちからのクリスマスカードが、束になってあった。自分らしく生き抜いた母、今はただ「ありがとう」、そして「お疲れ様」と拍手をおくることが、私の最後の役目だと思った。

母（最後列中央）とベトナムの子どもたち。聖園女学院の難民キャンプ前で（1981年）

2019年12月号掲載

日本（東京）Japan

いのちある限り自分の使命を果たしつくす教皇フランシスコ

「パパ、パパ、パパ」、「I love You!」。十一月二十五日午後三時四十五分、五万人を越える大歓声の中、トヨタが特別に開発した〝パパモービル〟に乗ってフランシスコ教皇が、東京ドーム一塁側から現れた。目の前を微笑みながら通り過ぎ、小さな子どもたちを抱きかかえてキスをする度に、大歓声と拍手が起こり、国籍を越えた老若男女が感激のあまり目頭を熱くした。ミサの段取りを確認するため午前十一時からドームに入っていた私たち司祭や関係者も、その姿を目の当たりにした瞬間、長かった待ち時間のことなど一気に吹き飛んでしまった。

　十一月二十三日から二十六日に実現した教皇の日本訪問は、前回のヨハネ・パウロ二世以来、なんと三十八年ぶりのことである。二〇一三年、就任したフランシスコ教皇は、既に五〇ヵ国を巡っていて今回十一月二十日から二十三日のタイ訪問と組み合わせた三十二回目の海外訪問で、「すべてのいのちを守るため」をモットーに掲げての来日だった。

　教皇は先ず、長年の念願だった長崎と広島を訪問し、平和記念公園などで祈りを捧げ、被爆者や遺族との面会の後、平和へのメッセージを発表した。「原爆の消えることのない傷を負う日本は、全世界のためにいのちと平和の基本的権利を告げ知らせる役割を担っています」。「武器を生産し、取引しながら平和について語ることは偽善です」。「長崎

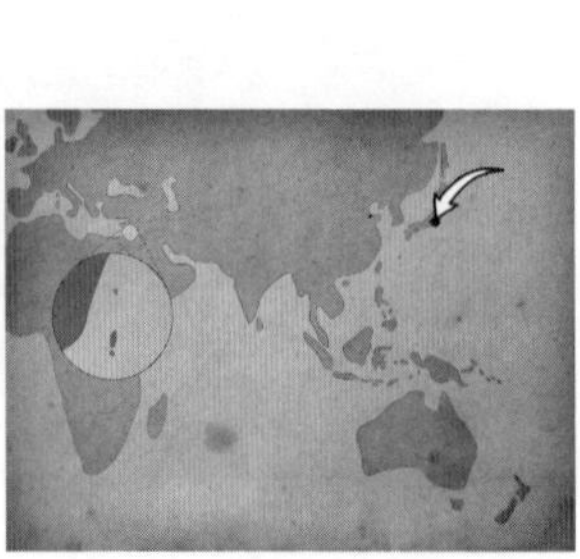

と広島に投下された原爆によってもたらされた破壊が二度と繰り返されないように、阻止するために必要なあらゆる仲介を推し進めてください」と日本に願った。その後、東日本大震災の被災者とも交流し、日本が体験した地震と津波、原発事故というトリプル災害は、いつどこでも起きる可能性があり、完全な安全性を確保できない原子力使用の限界と懸念を明確に表明した。

目白のマリア大聖堂や上智大学での青年との集いでは、若者の悩みに耳を傾け、「人や社会が表面的に高度な発展を遂げても、内的生活が貧しく熱意と活力を失って虚無感に陥る最初の犠牲者は若者です」、「物質的に豊かであっても、孤独の奴隷となって誰からも愛されていないと思うことこそ最も恐ろしい貧困です。重要なことは何を手にするか、自分は何のために生きているかではなく、誰のために生きようとするのか考えて欲しい」と励ました。

“すべてのいのちを守るために”を掲げる

東京ドームでのミサの説教も明解だった。「日本の社会は、経済的に高度な発展を遂げています。しかし、利益と効率を追い求める過剰競争の下、多くの人が社会的に孤立し、不安を感じています。自死や社会に受け入れられがたい外国人、先進国の中で極端に少ない難民の受け入れなど無関心にならず、私たちがそうした傷を癒し、和解とゆるしの道を常に差し出す野戦病院になっていけるよう一緒に努力していきましょう」。

「すべてのいのちを守るために、日本は牽引的役割を果たせます」と私たちを励ました八十二歳のフランシスコ教皇は、「いつも、皆さんのことを思い祈りますよ」と約束し、足を引きずりながらお付きに支えられてタラップを上り、ローマへと飛び発っていった。

5万人の前に現れたフランシスコ教皇（東京ドーム）

2020年1月号掲載

台湾（恆春） Taiwan

忘れ難い不思議な年明け

スマホを眺めながら、「そろそろだな」と思っていると、直ぐに00：00となった。「バリバリバリ、ヒュー、バンバンバン…」、その瞬間、爆竹と打ち上げ花火が一斉に炸裂し、私は三階の部屋から飛び出して非常階段の上に立った。目の前には、清朝時代に築かれたレンガ造りの西門が打ち上げ花火に照らされ、炸裂音と共に、市街戦の真っただ中にいるような気分になった。二〇二〇年、台湾最南端、鵝鑾鼻（ガランビ）岬に近い恆春（ヘンツゥン）で、私は新年を迎えた。

二ヶ月前、母が亡くなり、私にとって台湾の母といえる鐘節美《しょうせつび》さん一家に招かれ、年末私は台湾に渡った。大晦日、台湾高速鉄道（新幹線）で台北から高雄の「左営」駅に着き、鐘一族と落ち合うと、「あなたが行ったことのないところが近くにあるから、寄っていきましょう」、恆春までまだ二時間以上あるが、従うしかない。車は、紅毛港という漁村に入り、「保安堂」と書かれた霊廟の前で止まった。中に入ると金尽くしの大きな神壇があり、中央に三体の大きな像と前面に小さな像が数体並んでいる。どれも神々や聖人、将軍といった方々だろうが、私には誰が誰だか皆目見当もつかない。ただ、大きな三体の内の右の神様だけは、何か雰囲気が違う。近寄ってみると白っぽい近代的な軍服姿で、右手で日本刀らしきものを逆さまに握りしめている。軍帽中央を見ると、明らかに

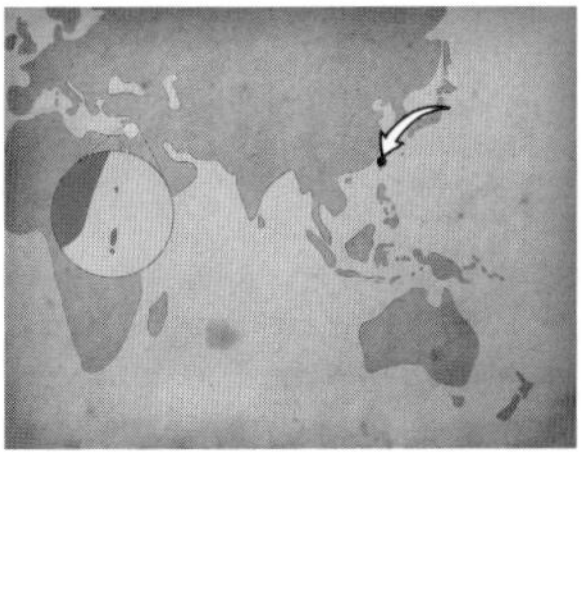

日本海軍の帽章と分かる。

左右の壁に赤い鳥居が描かれ、その中に日本人の名前と階級が記されている。最上段右端に、艦長高田又男とあり、一九二一年建造、日中戦争に参戦し一九四〇年第三十八号哨戒艇と改称された日本海軍の駆逐艦〝蓬〟最期の艦長と説明文から読み取れる。一九四四年十一月、沈没した戦艦武蔵の生存者を乗せた〝さんとす丸〟を護衛してマニラ港から高雄に向かっていた〝蓬〟は、バシー海峡で米潜水艦アトゥルの魚雷攻撃を受けて沈没、高田大尉以下百四十五人が戦死している。

敗戦の翌年、漁網に頭がい骨が掛かり、それと前後して戦死した〝蓬〟の乗組員ひとりが漁民の夢に現れたことがきっかけとなって、保安堂は建てられている。軍服姿の神様は、神格化した高田又男艦長で、〝蓬〟自身も神艦として祀られ、〝蓬38〟と記された酒瓶や軍艦旗などが並び、なんとも不思議な空気が漂っている。

台湾の母鐘節美さんと共に

「日本と台湾は、一緒に戦争に負けて、運命共同体なんです」。三が日に会った台湾人の何人かが、口をそろえてそういっていた。神格化された日本人を祀る霊廟は、ここ以外にも数ヶ所あり、それをどう解釈したら良いのか私には良く分からない。ただ、日本と台湾の関係が、独特であることは間違いない。「また、来てね」。別れ際、台湾の母にそう言われ「勿論」とささやきながら、思いっきり抱きしめた。実の母の姿が、重なってみえた気がした。元旦の朝、私は〝蓬〟の艦歴をスマホで検索していた。驚いたことに戦前の一時期、戦死した母の叔父、伊集院松治が〝蓬〟の艦長をしたことがあったと記されていた。「やはり、台湾とは不思議なご縁がある」、そう思わされた年末年始だった。

紅毛港「保安堂」に祀られた高田又男像

2020年2月号掲載

東ティモール民主共和国（ラウテム県）
The Democratic Republic of Timor-Leste

古代人の描いた壁画が、私たちに語りかける

「静かに！イナシオさんが話していますから」。修道女のシスタージュベンシオが、人差し指を縦にして唇に当てた。二十メートルはある反りだした岩壁の上部に、薄茶色や灰色の塊がいくつも垂れ下がっている。スズメバチがブンブンと舞う、強大なハチの巣群である。沈黙の後、イナシオさんが振り向いていった。「もう大丈夫です。皆わたしの家族だから安心してとハチにいいました」。確かに、さっきまで聞こえていた「ブンブン」が聞こえない。真下に広がる真っ青な海の波音と小鳥の囀りだけが聞こえてくる。

「ここは、イナシオさん一族が代々守ってきた聖地で、彼はハチとも、神様とも話ができるんです」とシスター。東ティモール最東端ラウテム県トゥトゥワラ郡、人口二千人程度のトゥトゥワラの街から南に山を下り、急な坂を小一時間歩くとここイリ・ケレケレに着く。イリ・ケレケレとは〝絵の描かれた岩〟の意味で、ハチの巣の真下あたりの壁面に、三千年以上前に描かれた動物や人物、人の掌を観ることができる。

亡くなったラウテム県の名士、ジャスティーノさんの話を思い出した。「神は先ず、ティモール島を創造し、ひとりの人間を作りました。でも、そこには植物や動物もなく、あるのは泥だけでした。人間をかわいそうに思った神は、泥を練って七つの人形を作らせます。神はそれに命を吹き込

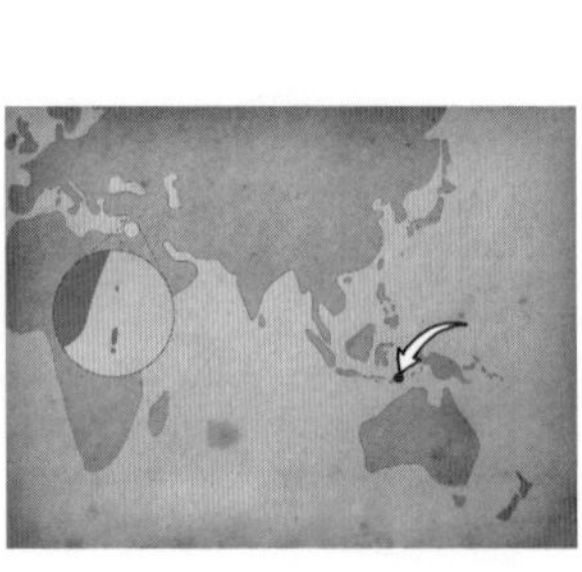

み、仲間にしました。彼らは言葉を話しはじめます。マクワ語でした。全て、このイリ・ケレケレで起きたことなんです」。ラウテム県の主要言語はパプア系のファタルク語で、国語はマレー系のテトゥン語である。それ以外にも、この島には沢山の言葉があるがマクワ語との関連性はなく、覚える人もいない。壁画を描いた人たちは、マクワ語を喋っていたのだろうか。十五年前、マクワ語を話せる人は三人しかいなかった。当時、八十歳を越えていたので、このまま行くとマクワ語は消えてしまう。

ポルトガル人が支配する以前、白檀の産地として知られていたこの島には、既に色々な人たちが海を渡ってやって来ていた。それを裏付ける伝説がある。「乾季に雨が降らず死にかけていたワニをある少年が見つけ、水場に連れて行って命を助けた。ワニは、少年がどこかに行きたくなったら連れて行くと約束する。ある日、少年はワニを呼び、背中に乗って長旅に出た。旅は続き、ワニは自分の寿命が長くないと感じ少年にいった。『私が死んだら、あなたとあなたの子孫のために陸になります』。そして、何もない海の上でワニは死に、ティモール島になった」。

3,000年前の人の手形

二十年以上ティモール人と付き合ってきた私は、時々彼らの言動や行動が理解できず戸惑うことがある。しかし、その一方、私に見えないことが見えていたり、聞こえない音が聞こえていたりして驚かされる。スズメバチとの交信も、その一例である。私たちの先祖も、自然と交わり、自然から聞く力を備えていた。しかし今、地球の気候危機に直面しても「なんとかなる」、「誰かがやってくれる」と他人ごとでいられること自体、その能力が退化した証なのだと思う。

聖地イリ・ケレケレの説明をするイナシオさん（左端）

2020年3月号掲載

数万年もの長い歴史を生き続けるアボリジニ

オーストラリア連邦（ダーウィン） Australia

「ムルクムルクへ、ようこそ」。悠々と流れるダーリーリバーに浸かりながら、私の頭とおなかに何度か水をかけたアボリジニの女性リーダー、ミリアム・ウングンメル・バウマンが、私の手を握りしめていった。「あなたのからだを流れた水は、このダーリーを通して母なる大地へと滲み込んでいきました。何万年もの間こうして生きてきたムルクムルクの民は、あなたを家族として迎えます」。オーストラリア北部準州の州都ダーウィンから長い一本道を二百四十キロ。夜中、トラックに跳ね飛ばされたカンガルーの死体を何度もよけながら、ひとりレンタカーでムルクムルク族に会いに行った。あれから十年。今回、航空券の都合で、東ティモール行きが通常のバリ経由からダーウィン経由に変更になり、久々にダーウィンに降り立つことができた。

「また、ダーウィンを占領しに来たの」。旧友のミック・フォックスが、冗談交じりに空港で待っていてくれた。太平洋戦争初頭、日本軍は六十四回この街を爆撃し、壊滅させていることをどれだけの日本人が知っているだろうか。日曜日早朝、人《ひと》気《け》のない静かなダウンタウンを歩いた。英国国教会クライスト・チャーチの白い三角屋根が見えてきた。大勢の人が、教会の前に集まっている。ほぼ全員アボリジニだと分かる。「随分、熱心だな」と思いながら、そこを通り過ぎた。数時間後、そ

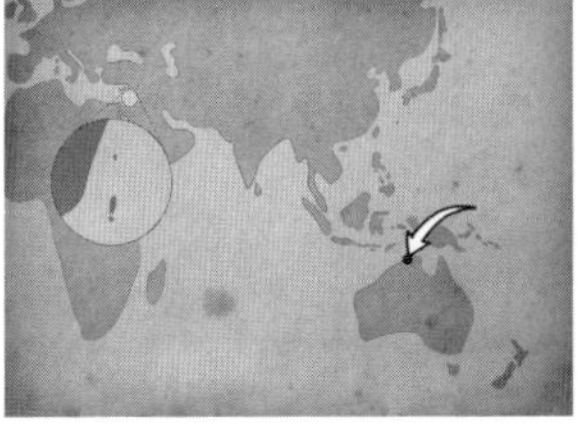

の様子をミックに話すと、彼は首を横に振った。「ノー、ノー。食べ物を貰いに来ているだけだよ」。確かに怒鳴っている人や、酒臭い人がいた。礼拝に来ていたのではなかったようだ。アボリジニの平均寿命は、非アボリジニに比べて約二十歳短い。アルコール依存症や精神障害が、蔓延している。七〇年代までの四十年間、白人への同化政策が続き、親元から引き離されアイデンティティーを失った世代を生みだしたことも強く影響している。

　アボリジニの先祖は、五万年前この大陸にやってきた。その後、海面上昇によって周辺の島々から分離し、約七〇〇の種族が自然と調和しながら独特の文化を形成していく。しかし一七七〇年、スコットランド人ジェームズ・クックの到来後、この地は英国領の流刑地となり、アボリジニは内陸へと追いやられてしまう。また、白人が持ち込んだ病原菌によって、免疫力のないアボリジニは激減し、現在約三六〇種族、総人口四十七万人にまで落ち込んだのである。

　ダーリーリバーから南へ一六〇キロ、ウデエ地区出身のモリス・アレイを紹介された。「アボリジニのために設立されたヌンガリンニャ・カレッジで、勉強しています」。「希望を失った若者、自殺してしまう若者が大勢います。勉強が終わったら故郷に戻って、役に立ちたいです」。「神や自然と対話するスピリチュアルな部分を無くして、自分を見失い、何のために生きているのか分からなくなっているのです。先祖から受け継いできたスピリチュアルな部分を取り戻して欲しいと思っています」。何万年もの間、自然に溶け込んで、私たちとは全く異次元の世界に生きてきたアボリジニに出会えるダーウィン、私はこの街が大好きである。

クライスト・チャーチに集まっていたアボリジニ

壁に描かれた日本軍によるダーウィン爆撃の様子

2020年4月号掲載

忘れられないザグレブの街

クロアチア共和国（ザグレブ） Republic of Croatia

四月七日、緊急事態宣言が、発令された。世界中の新型コロナウイルス感染者は百万人を遥かに越え、死者も十万人を突破。各国の友人から様々な情報が入ってくる。中でも、三月二十二日、横須賀の友人から送られてきたメッセージに、私自身も肝を冷やした。

「大変、ザグレブで大きな地震があったみたい」。クロアチアの首都ザグレブ。彼女の娘乃《の》明《あ》が、数ヶ月前ザグレブ大学に入学したばかりである。

三十数年前、私はザグレブに行ったことがある。冷戦下、旧西ドイツにいた私は、鉄のカーテンの向こうをひと目見たいと、何度か無謀な旅を試みた。ひとつは、中立国オーストリアから共産党政権下のハンガリーに入り、国境を越えて独自の社会主義路線を突き進む旧ユーゴスラビアへ抜けるプランだった。

ハンガリー南部の町ペーチから、地元中学生で満員の二両編成ディーゼル列車に乗り込んだ。真っ白いブラウスに真っ赤なスカーフを巻いた数十人の男女の視線は、西側から来た私たちアジア人に集中した。重苦しい空気の中を二時間、見渡す限り鉄条網が続く殺風景な所で、金属音と共に列車は止まった。国境である。

窓越しに、見張り塔の上から自動小銃で列車に照準を合わせる兵士たちの姿が見える。ブーツの足音がした途端、長いコートを纏った男と二人の

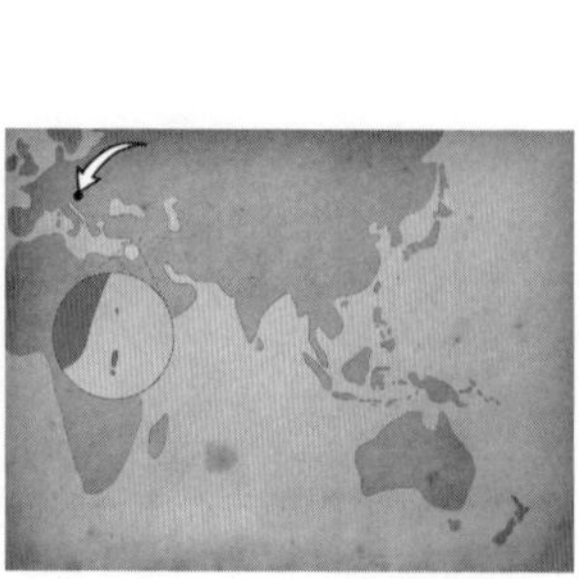

兵士が車内に入ってきた。三人は、中学生に一切目もくれず、私たちの前にやってきていった。「パスポート」。日本人だと分かると、彼らは、私たちを列車から下ろし、肌寒い大地に放置したまま詰所に消えていった。それから約二十分、コートの男が出てきて、いきなりパスポートを地面に放り投げた。私はそれを拾い上げ、直ぐにページをめくった。「あった」。ユーゴスラビア社会主義連邦共和国の入国スタンプがしっかりと押されていた。中学生のところに戻ると、みんながニコニコ微笑んでくれた。それから列車は数時間走り、到着したのがザグレブだった。

　三月二十二日、マグニチュード5以上の直下型大地震が、二度ザグレブを襲った。乃明が住むアパートにも大きな亀裂が入った。前日、コロナ対策で市内に戒厳令が敷かれ、全市民の自宅待機、公共交通機関の全面停止がはじまっていた。「とにかく、国外に出さないと」。私は、乃明の母親に送信した。「国境は、全て封鎖されている」。「じゃ、空路で。アフリカでも、中東でもどこでもいい」。とっさに私がそう伝え、必死でフライトを探した彼女から返事が来た。「明日のアムステルダム便がまだあって、チケットも取れた」。翌朝、ザグレブは雪になった。それでも、午前八時二十分発のクロアチア航空は、無事に飛んでくれた。二時間後、私は彼女と鎌倉で落ち合った。そこに乃明から電話がきた。「アムスに着いた」。

被災したザグレブの街

　現在、クロアチアには、コロナ対策で移動禁止令が出されている。その状況の下、余震は九十回を越え、約二万人のザグレブ市民が被災したと考えられている。四月十二日は、クロアチア人にとっても大切な復活祭である。この厳しい状況の中、希望を捨てず、一刻も早く世界中で事態が収束することを祈るばかりである。

1980年代のザグレブの街

2020年5月号掲載

負のサーキュレーションを断つ

日本（神奈川県中央部）　Japan

〝負のサーキュレーション（循環）〟という言葉を、友人から教わった。コロナ禍の下、この数ヶ月間、私は、神奈川県内で困窮する外国籍のひとたちに出会ってきた。主に南米日系人で、その大半が瀬良垣《せらがき》、識名《しきな》、玉那覇《たまなは》、玉城《たまぐすく》、具志《ぐし》などの沖縄姓であることに驚く。生後九ヶ月の息子と食料を取りに現れたケイコさん三十五歳。日系ペルー人四世。苗字は、典型的な沖縄姓である。この子の父親も日系ペルー人で、ドミニカ籍の前夫との間にできた十五歳の息子、六歳の娘と五人で暮らす。「シゴトナイ」。「オコメ、タスカル」。片言の日本語で、「アリガトウ」と繰り返した。

　南米最大の日系人コミュニティーは、ブラジルの約百三十万人。八万人のペルーが第二位で、アルゼンチン、ボリビアと続く。ブラジルの日系人の一割、ペルーとアルゼンチンでは実にその九割以上が沖縄系であることはあまり知られていない。

　一八六八年（明治元年）、ハワイ王国への移住によって日本の移民の歴史ははじまる。その後、米国への移民が主流となるものの、日本人の急増は労賃を下落させ、衣食住など日本の習慣を捨てない黄色人種の存在に反発が起こる。米国、オーストラリアで日本人排斥運動がはじまり、ペルー以外、日本人を受け入れる国はなくなってしまう。その時日本人に門戸を開いたのが、ブラジルである。

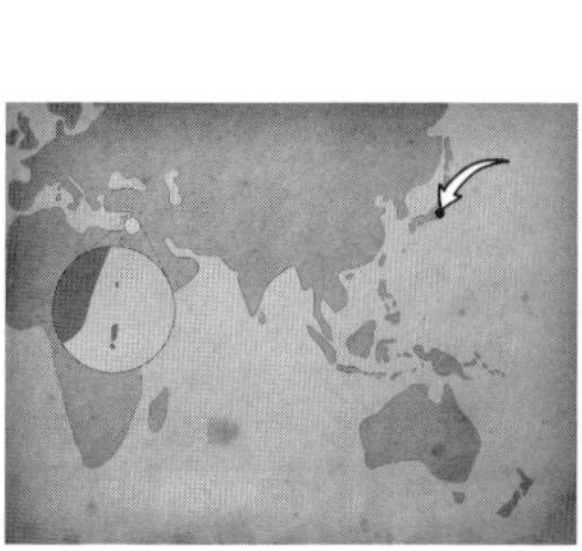

　明治初期、「ソテツ以外に食べる物が無い」と

いわれた貧しい沖縄。しかし、沖縄からの移民は、禁じられていた。それから約三十年。一九〇八年、初めてブラジルへ日本移民が出航する。総勢八〇〇人、その内の三百二十五人が沖縄県民で、それ以来、沖縄からの移民は増え続け、戦後、親族を頼って移住したひとたちも含め、南米日系社会の多数派は沖縄系となるのである。

一九八〇年代、南米諸国の経済と治安は悪化し、多くの移民が米国やスペインへと流出する。その直後の一九九〇年、日本の出入国管理及び難民認定法が改正され、日本人の子どもや孫、その配偶者に単純労働をも可能にする〝長期滞在査証〟が与えられる。南米日系人を中心とした「デカセギ」のはじまりである。

「デカセギ」で貯めた資金を元に、母国で起業する成功例も稀にあるものの、ほとんどが失敗し再来日を繰り返す〝循環移民〟が恒久化する。「帰っても仕事ない」、「治安が悪いし」。そんな話を、頻繁に聞く。こうした中、懸念されるのは言葉である。二十年、三十年と日本で暮らす日系人であっても、日本語はおぼつかない。日本語ができないことで、日本の社会から孤立し、また、真っ先に人員整理の対象となってしまう。今回の給付金申請しかりである。

食料を受け取る日系ペルー人の家族

明治初頭、外務省が移民を奨励しなかった理由のひとつにこうあった。「移民は、奴隷に近い労働にたずさわる上、貧困層の国民は外国事情に疎く、生活慣習をそのまま持ち込むため同化できず摩擦を引き起こす可能性がある」。

百五十年前、南米で日本人が体験した苦悩を、その子孫が今、日本で味わっている。この〝負のサーキュレーション〟を断ち切る道はあるのだろうか。しかし、それを真剣にさぐらなければならないと、私はこの数か月間痛感している。

ゴールドラッシュによってブラジル移民の急増に火をつけたオウロ・プレット
（1980年、街並が世界遺産に登録）

2020年7月号掲載

ニュージーランド（ロトルア）　New Zealand

生き続けるアオテアロアの魂

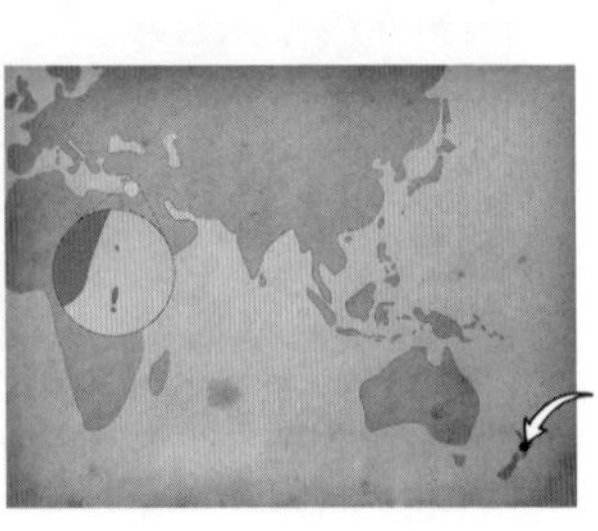

「また一ヶ月間、ロックダウンだって」。メルボルン在住の友人からメッセージが入った。それを横目に、お隣ニュージーランドは六月八日、コロナに対して〝勝利宣言〟した。その後、新たな感染者二人が確認されるが、素早くロックダウンに踏み切り、最初の陽性反応が確認される一ヶ月も前からPCR（ポリメラーゼ連鎖反応）検査を実施するなど評価は高い。検査の初日一月二十二日、私はニュージーランドにいた。日本がまだ、武漢市からの帰国者や入国者に対して自己申告を呼びかけていた頃である。

　先住民マオリのリーダーに会うため、マオリ人口の多い北島のロトルアに私は滞在していた。街は、ロトルア湖から南へと広がり、その先は世界でも珍しい大地熱地帯テ・プイアである。泥沼が沸き上がり、一度に噴き出す湯量世界一のポフツ間欠泉など迫力ある光景に圧倒される。一二八〇年頃、航海士クペ一行がカヌーでの長い航海の末、ハワイキ（神のいる場所）からやってきたという伝説の中、クペの妻ヒネテ・アパランギが土地をみて「白く長い雲がたなびく土地」〝アオテアロア〟と呼んだとある。アオテアロアは、現在、ニュージーランドと並んで使われる正式な国名である。マオリの人口は約六〇万人、全体の十五％に過ぎない。しかし、マオリの文化が、この国の社会に深く溶け込んでいることに感動する。第二公用語としてマオリ語が学校で教えられていることもその一例で、日本は見習うべきである。

テ・プイアの南、タマキを訪ねた。バスで約一時間、車内ではドライバーのカーラが、マオリについて詳しく話してくれる。「もう直ぐタマキに着きます。あなたたちはひとつのイウィ（部族）です。だからチーフ（族長）を選んでください」。彼女のリクエストに、私たち二十人の中からなんとなくカナダ人のジョンが選ばれた。タマキに着くと、バスを下り、森を抜けて小さな広場に出た。森の奥から叫び声が聞こえる。ジョンひとり、数歩前に立った。すると突然、叫び声と共に顔や腕に刺青をした六人の戦士が現れ、ラグビーのオールブラックスでお馴染みの「ハカ」がはじまった。六人が順番にジョンに近づき、睨みつけ声を出して威嚇する。私語や笑うことは、決して許されない。数分間のハカの後、戦士たちは森へと消え、ひとりだけが

ハカを踊る戦士

戻ってきた。二人は互いのオデコと鼻を押し付け合い伝統的挨拶〝ホンギ〟を交わし、戦士は笑顔でジョンに握手を求めた。私たちのイウィが、受け入れられた印だった。

「マオリは、イウィに属し家族や親戚を大事にします。平和的なイウィは、一度受け入れると家族です。だから最終的に、全てのひとが家族なんです」。チーフの印象的な一言だった。

コロナ対応で、一定の評価を受けたニュージーランド。人口の少なさや島国であることが、有利に働いた。しかし、それ以上に、国民ひとりひとりが責任をしっかりと果たしたという印象がある。アーダーン首相がいう「全国民五〇〇万人のチームによる勝利」。正に、「全てのひとが家族」というマオリの魂が、「アオテアロア」というイウィに生きていると、私は感じた。

大量の温水を噴き上げるテ・プイアのポフツ間欠泉

2020年8月号掲載

日本（大和市） Japan

グローバル化の先をゆく県営〝いちょう団地〟

「ピエルナデ セルド（豚足）!」、滅多に目にすることのない豚足が、何十本も冷凍庫内に積まれている。「今夜は料理しない」といっていた仲間の米山リディアが、「カルロス(夫)のために今晩料理します」とはしゃぎはじめた。大和市と横浜市に跨る神奈川県最大級の県営住宅〝いちょう団地〟。一九七一年建設の巨大団地群は、老朽化が進む。大和と横浜の両サイドにある古びた平屋のショッピングセンター。各十店舗ずつのスペースがあるが大和側は五軒しか店を開いていない。その一軒、ベトナム食材を扱う〝ヴィエット・フーン〟。来日二十七年のベトナム人キムさんが切り盛りする。「この豚足美味しいよ。モミジ（鶏足）もどう」。ペルー人のリディアに日本語で売り込みをかける。「私の娘のお婿さんはペルー人よ」。それが止めとなってリディアのテンションは絶頂に達し、豚足も鶏足も大量に買い込むことになった。

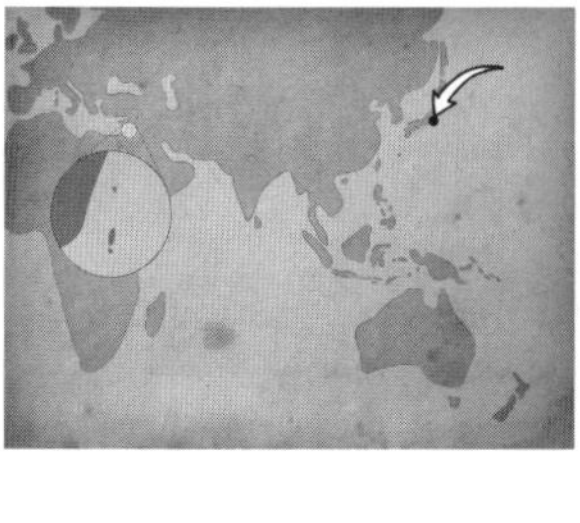

五月以来、リディアと私は、コロナ禍で困窮するいちょう団地のペルー人とボリビア人十五世帯に月一回食料を届けている。しかし、豚足を見つけたのは初めてだった。約三五〇〇世帯が暮らすいちょう団地、その二〇%、約七百世帯は外国人である。七〇年代半ば、ベトナムからボート・ピープルが大量に流出し、数年後の一九七九年、日本政府は、「インドシナ難民の定住支援」を決定。全国三ヶ所に日本語教育と就職斡旋を目的とした難

民定住センターを開設する。そのひとつが「大和定住促進センター」で、ここから最も近い県営住宅が〝いちょう団地〟だったのである。

団地内を歩くと、様々な発見がある。ごみ集積所には、ごみ出しの仕方が日本語、英語、中国語、韓国語、スペイン語、ポルトガル語で書かれている。「住まいのルールを守りましょう」という大看板も、日本語、中国語、カンボジア語、ベトナム語、スペイン語、ラオス語で説明されている。横浜側のショッピングセンターで一番活気のある一画を覗いた。高齢者が卓を囲んで、麻雀に熱中している。中国語の求人広告から、中国から永住帰国し高齢になった中国残留邦人専用のデイケアセンターだと分かり驚いた。

キムさんの店の斜め前に、〝キムキム〟という韓国食材店がある。「三月にオープンしたばかりです」。来日十四年のパク・ウンジュウさんら三人の韓国人女性で回す小ぎれいで爽やかな店である。「お年寄りが多いので、おかずを届けるようなことも考えました。でも、注文は全くきません。計算違いでしたね」。住民との交わりに、かなり苦戦している様子である。

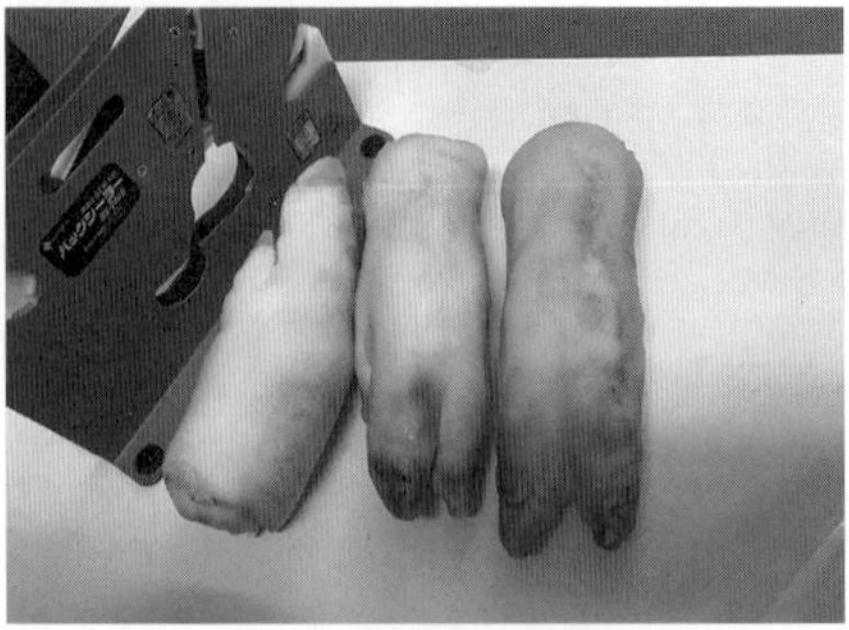
リディアが買った豚足

外に目を向けるイメージの強い〝グローバル化〟。しかし、先ずひとりひとりの心の中に、その感覚を育てなければならない。目があっても見えない、耳があっても聞こえない者にならないために、〝いちょう団地〟は最高の学びの場だと私は思う。

ウンジュウさんが、スタンプカードにスタンプを押してくれた。「コマスミダ（ありがとう）」と私がお礼をいうと、彼女が返した。「トーマンナヨ（またね）」。彼女を通して、「また来てね」といちょう団地にいわれたような気がして、私は嬉しくなった。

「また来てね」と微笑む“キムキム”の3人

2020年9月号掲載

日本（沖縄　慶良間諸島）　Japan

屋嘉比《やかび》という姓の彼方に

安倍首相の辞意表明と共に、今年の八月は終わった感がある。敗戦から七十五年の節目に、コロナ禍もあり例年のような〝平和を考え、若者と共に沖縄へ、被爆地へ〟といった学習ツアーは一切組めず、〝ワールドレポート〟と謳いながら海外にも出られず情けない。しかし、神奈川県内で困窮する大勢の外国人と出会うことで、別の視点から平和を見詰め直す結果となった。

この数ヶ月間、出会った外国人は百世帯を越える。その多くが沖縄出身だったため、沖縄の話題は尽きない。最初に食料を届けた家族の姓も屋嘉比、九十歳のヒデゾウさんは沖縄生まれで一歳の時にペルーに渡っている。奥さんのホアンナさん七十九歳はペルー生まれの沖縄系二世で、障がいをもつ娘のエレナさんを抱え三十年間日本で頑張ってきた。

八月のある暑い日、エレナさんの六十一歳の誕生日と知って、屋嘉比家を訪ねジュースで乾杯した。大切に置かれている仏壇に気づき、私は中を覗いた。赤い漆塗りの位牌があった。純沖縄式である。直ぐに、グーグルマップで屋嘉比島の位置を調べた。慶良間《けらま》諸島西部、座間味島と阿嘉島《あかじま》の西側に屋嘉比島を見つけ、質問した。「まだ、沖縄に親戚がいるんですか」。ホアンナさんが、首を横に振った。

慶良間諸島と聞くと、シュノーケリングに適し

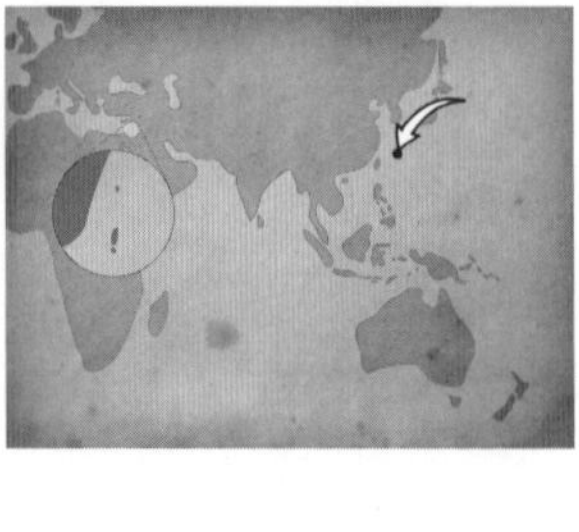

た最高の海と沖縄戦の前哨戦の舞台という二つのイメージが脳裏を過る。一九四五年三月二十六日、米軍の阿嘉島、屋嘉比島両島への上陸によって悲劇の沖縄戦がスタートする。十数年前、戦争当時小学生だった金城忠信さんに阿嘉島でお話を伺ったことがある。「阿嘉島には、野田義彦少佐以下約七〇〇名が駐屯していましたが、屋嘉比島に兵隊はいませんでした。米軍が両島に上陸した時、阿嘉島の日本軍は装備が貧弱でほとんど応戦できずバラバラに山中へ逃げ込みました。翌朝、私たち住民が集まっていた杉山に、鈴木茂治大尉以下十五名が立ち寄り、いわれました。『これから私たちは敵陣に斬り込みます。でも住民は、私が戻って命令を出すまで自決してはなりません。もし私が戻らなかったら、投降して生き永らえてください。戦争は、兵隊だけでやります』。この言葉を、私は鮮明に覚えています」。

お話を伺った金城忠信さん

また、三月三十一日、玉砕を覚悟した野田隊長の眼前で、異変が起きる。缶詰やたばこを置き去りにして米軍が撤収しはじめたのである。それ以来、両軍が衝突することはなく六月二十六日になると米軍の呼びかけで野田少佐と米軍の司令官ジム・クラーク中佐の会見が実現し、その後、米軍の好意で両司令官は、海岸で昼食を共にすることになる。こうして阿嘉島では日本軍が降伏することもなく、負傷者や住民のみを米軍に引き渡し、平和な状況のまま終戦を迎える。一方、戦前、高品質の銅を産出していた屋嘉比島は、戦闘がなかったにもかかわらず、島民が集団自決し、現在も住民はいない。

　ひとりひとりの思慮深い行動が、弱い立場のひとたちの命を左右させる。屋嘉比という姓を通して、また頑張り屋のホアンナさんのお蔭で、私と沖縄の間の距離が少し縮まった八月だった。

阿嘉島から屋嘉比島を望む

2020年10月号掲載

インド（プーナ）　India

コロナ禍とロックダウンに耐えるインドの〝インフォーマルセクター〟

十月に入り、新型コロナウイルスによる死亡者が百万人を超えた。コロナ禍がもたらす様々な問題が、ＳＮＳを通じて各国の友人から伝わってくる。中でも新規感染者が連日五万人を超え、累計感染者数も六〇〇万人を超えて世界第二位となってしまったインドを、私は危惧している。大規模な〝ロックダウン〟は、路上での物売りや行商、リキシャー（輪タク）の運転手、日雇い労働者といった〝インフォーマルセクター〟（開発途上国にみられる経済活動において公式に記録されない経済部門）に大きな打撃を与えている。職を失い、都市部から数百キロ、あるいは千キロ近く歩いて故郷へ向かうひともいると聞いた。

嘗て、私が留学したインド第八位の都市プーナ。ここで最下層のひとたちのために命を張って活動を続ける友人で弁護士のバストゥとポーリ夫婦にメールを貰った。「一切貯えのないひとたちが、厳しい状況に陥っている。子どもたちに食べさせることも、薬を買うこともできない。飢えているプーナ周辺の約四万世帯に、〝ドライ・レーション・キット（乾燥食料配給キット）〟を配りはじめた」。〝ドライ・レーション・キット〟とは、コメ五キロ、小麦粉五キロ、ダール豆一キロ、塩、食用油、砂糖、ターメリック（ウコン）、唐辛子、マスク、固形石鹸を詰めた袋で、一袋当たり七二〇ルピー、日本円で約千円かかる。それから二ヶ月。

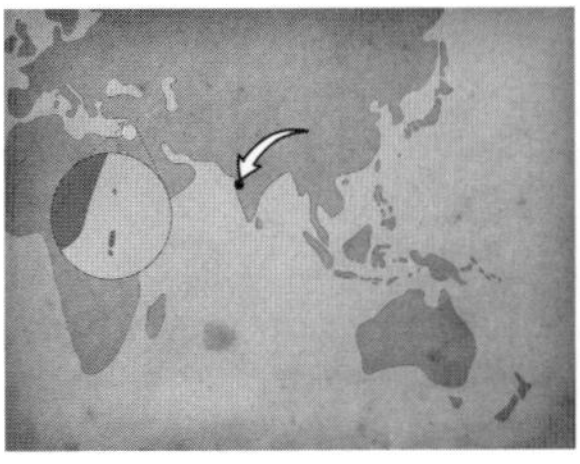

バストゥたちは、毎日五百世帯に配り続け、三八二八四世帯をカバーしたものの、資金が底をつき一八九三世帯にまだ配れていないといってきた。一袋で一世帯がどの程度凌げるのか良く分からなかったが、少しでも手伝いたいと思い、私は銀行に急いだ。「海外送金は、以前のような窓口ではできなくなりました。テレビ電話窓口でのお手続きとなります」。案内係が、マニュアル通りの対応をする。順番待ちに最低四十五分かかるといわれ、送金先一覧に欧米など先進国の都市部しか見当たらなかったためバストゥへの銀行送金を断念。そこで思いついたのが、ウエスタンユニオン（一六〇年の歴史をもつ海外送金サービスの老舗）だった。

スマホにウエスタンユニオンのアプリをダウンロードし、自分のプロフィールを打ち込むと登録が済み、直ぐに送金可能の表示が表れた。半信半疑のまま、送金先にバストゥのフルネームを入れ、可能送金額を打ち込むと送金手続は完了。翌日、横浜のウエスタンユニオンの窓口に現金と運転免許証等を持参して最後の確認をすると、拍子抜けするほど簡単に送金ができてしまった。数時間後、「ありがとう。お金が届いた。今から百世帯分のドライ・レーション・キットを準備する」。バストゥからのSNSに、「今回、送金額の上限があってたくさん送れなかった。また送金するから」。私がそう謝ると、直ぐにバストゥから返事がきた。「金額は、問題じゃない。飢えている彼らに、見捨てられていない、助けてくれる友達がいると感じて貰えればそれでいい。あとは、なんとかなるから」。

“ドライ・レーション・キット”を
受け取る女性たち

数日後、バストゥから数枚写真が送られてきた。〝ドライ・レーション・キット〟の袋に、〝TAKAからの支援〟と私の名前が印刷されていた。「余計なことを」と一瞬思ったものの、「やはり、友達っていいな」、私はしみじみそう思い返した。

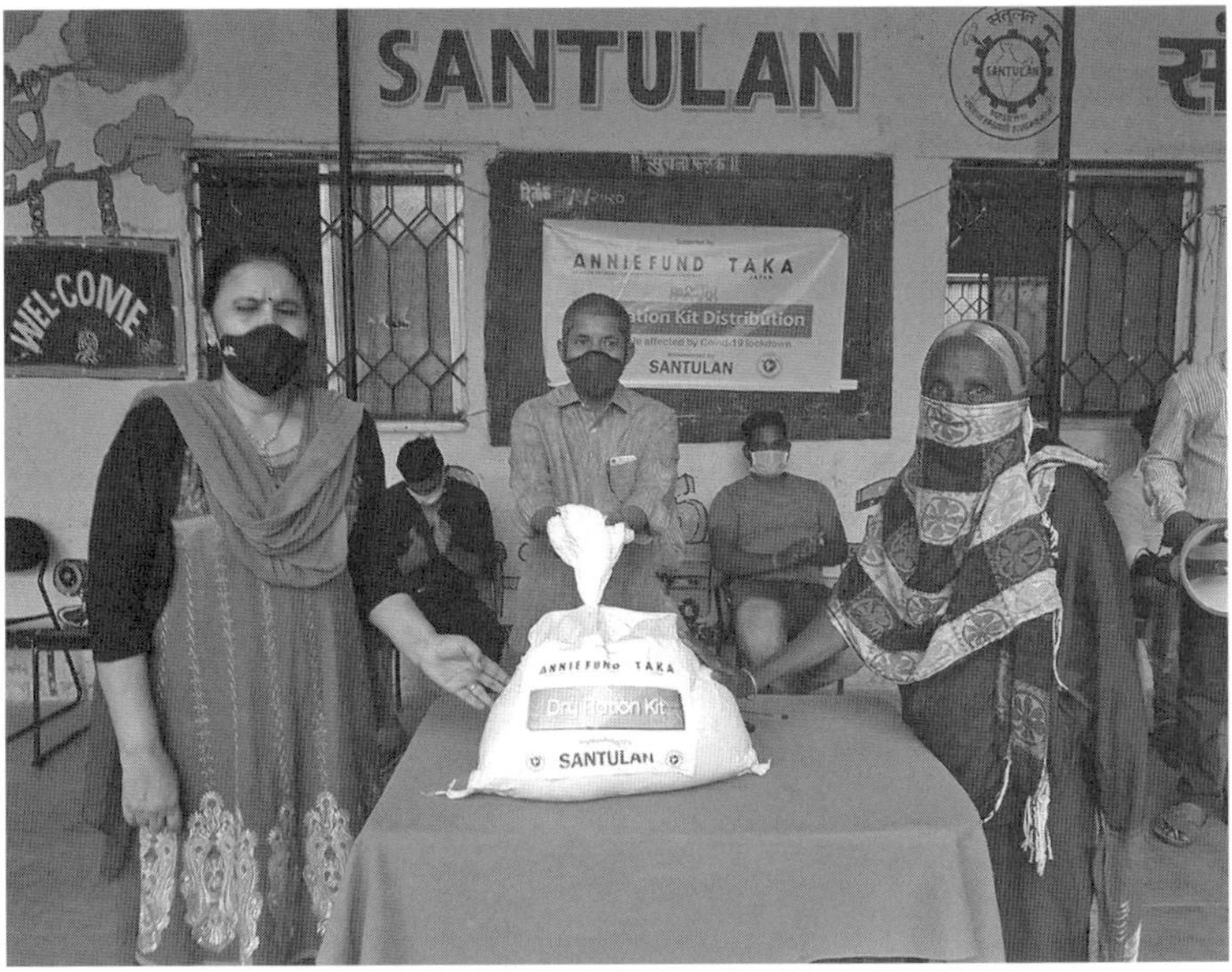

最下層の人たちのために働くバストゥ（中央）とポーリ（左）

2020年11月号掲載

あとがき

「雲に虹があらわれるとき、私はそれを見て地上のすべての生き物との永遠の契約を思い起こす」（創世記9：16）。旧約聖書の中で、大洪水の後、箱舟を出たノアとその一行が神と新しい契約を結んだとき、しるしとして示されたのは虹でした。「虹の架け橋」という響きに、全ての被造物を大切にしたい神とその実現のために使命を託された私たちが上手く手を握り合った状態を、私はイメージしています。

この数十年間、世界各地を歩き、貧困と不正義、環境破壊と内戦の中、苦しい生活を強いられる大勢の方々に出会い、学ばせていただきました。この体験を二〇一六年四月以降、かまくら春秋社のご厚意で二〇二〇年一二月までの五七ヶ月、『タカ神父のワールドレポート』と題して連載させていただいたことは幸運でした。その中の五〇話を選び、まとめたのが本書です。

ニュースや通常の観光旅行では知り得ない世界の片隅で起きている小さく厳しい出来事を、私の目線で読者にお伝えし、環境、人権、平和といったテーマに興味を持っていただきたいと思いました。

特に、若い世代の方々が本書を手に取り、それぞれのストーリーを通して、知り、感じ、考えてくださることが、「ひとりとして疎外されない地球社会」と「健全な地球環境への再生」を目指す力になると期待しています。より良い未来に向かって地球の歴史の一部を創るのは私たちひとりひとりであることに気づくと共に、より豊かに生きるための生命（いのち）の糧となれば幸いです。

本書の出版は、かまくら春秋社の伊藤玄二郎代表をはじめ、田中愛子さん、担当者の大羽幸子さんのご尽力なしには実現しませんでした。心から感謝いたします。また、私の細かい注文にも丁寧にお応えくださり、美しく、またメッセージ性の高い表紙の「ロゴ」と世界地図「タカ神父世界を歩く」をクリエイトしてくださいました片岡和志、パクソンミンご夫妻、装丁の中村聡さんに深く感謝申し上げます。

尚、本書の収益の一部は、日本国内外で支援を必要とされている方々への「虹の架け橋」として使わせていただきます。

最後に、フランシスコ教皇の短い言葉をお送りいたします。
「愛があれば、無関心ではいられないはずです。愛とは思いやりであり、あなたの心を他の人の心につないでくれるものです」。

山口道孝

二〇二一年夏

山口道孝
（やまぐち みちたか）

1957年鎌倉市まれ。鵠沼育ち。愛称タカさん。カトリック司祭。建築、神学を日本、ドイツ、インドで学ぶ。日本ペンクラブ会員。鎌倉ペンクラブ会員。主な著書・執筆に『知ってほしいもうひとつのアジア・太平洋地域の現実』『ちいさなチャンタラ』ほか。

本書は月刊「かまくら春秋」2016年4月号～2020年12月号掲載の「タカ神父のワールドレポート」に加筆、修正し単行本化したものです。

虹のかけ橋
タカ神父のワールドレポート
著　者　山口道孝
発行者　伊藤玄二郎
発行所　かまくら春秋社
鎌倉市小町二―一四―七
電話〇四六七（二五）二八六四
印刷所　ケイアール
令和三年七月二七日　発行

ISBN978-4-7740-0840-0

女子パウロ会の本

ちいさなチャンタラ

執筆：山口道孝

定価990円（税込）
B5判 31ページ

タイの難民キャンプでチャンタラに出会ってから数十年が経ちました。今、彼女が生きているのか、死んでしまったのか私には知るすべがありません。

・・・しかし、今も世界のどこかで、第二、第三のチャンタラが無言で立ちすくんでいます。ミャンマーで、パレスチナで、・・・